ATHALIE

Paru dans Le Livre de Poche

RACINE

Athalie

Tragédie tirée de l'Écriture sainte

1691

PRÉFACE, NOTES, DOSSIER ET INDEX DES VERS BIBLIQUES
PAR GILLES ERNST

LE LIVRE DE POCHE

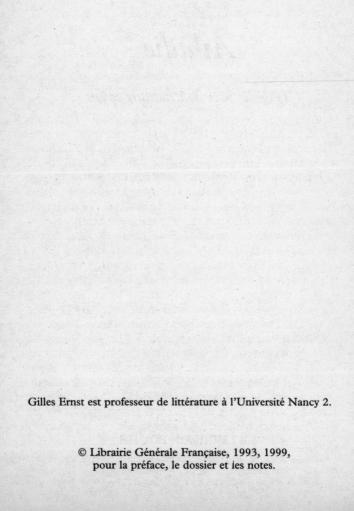

Gilles Ernst est professeur de littérature à l'Université Nancy 2.

PRÉFACE

Étrange destin que celui d'*Athalie* si on le compare
à celui d'*Esther* ! *Esther*, qui rompt dans la production
racinienne un silence qui dure depuis *Phèdre* (1677)
et s'explique par les nouvelles tâches de l'écrivain
promu historiographe du roi, est jouée pour la première fois le 16 janvier 1689. Abandonnant l'Histoire
ou la mythologie gréco-romaine, la pièce s'inspire de
la Bible, notamment du Livre d'Esther qui raconte
comment Esther, nièce de Mardochée et jeune
femme juive devenue femme d'Assuérus, roi de Perse,
fit avorter le complot d'Aman, ministre du roi, contre
le peuple élu. Commandée par Mme de Maintenon
qui voulait édifier ses jeunes pensionnaires de Saint-
Cyr par un « sujet de piété et de morale » (préface),
elle célèbre également les vertus de Louis XIV (et déjà
dans le prologue, ajouté au dernier moment). Deux
traits qui, joints à l'introduction des chœurs et de la
musique de scène, expliquent son très grand succès.

Athalie, sous-titrée *Tragédie tirée de l'Écriture sainte*, est
également composée à la demande de Mme de Mainte-
non ; mais, quoique tout aussi biblique de contenu, et pas
moins flatteuse pour le roi — le fils aîné du Grand Dauphin, le duc de Bourgogne (1682-1712), est salué par
Racine dans la préface de la pièce —, elle n'a pas la même
chance. Selon Mme de Sévigné [1], elle est en chantier

---

1. *Correspondance*, éd. R. Duchêne, Paris, Gallimard, « Bibliothèque de la
Pléiade », 1978, lettres du 28 février (sans mention de titre) et du 9 mars
(où elle annonce un *Absalon* ou un *Jephté*), tome III, pp. 520 et 533.

entre le début de 1689 et la fin de 1690 ; après les répétitions qui occupent toute la fin de 1690, elle est jouée pour la première fois à Saint-Cyr le 5 janvier 1691. Mais en petit cercle, bien que le roi et son fils aîné soient présents ; et sans les décors pourtant réalisés à grands frais, ni les costumes pour les demoiselles vêtues seulement de leurs habits ordinaires, ni surtout la musique confiée comme celle d'*Esther* à Jean-Baptiste Moreau, maître de musique du roi. Ce n'est donc pas une première ni même une générale ; tout au plus une répétition un peu plus soignée que les autres, pareille discrétion marquant aussi les quelques autres reprises à Saint-Cyr ou dans la chambre de Mme de Maintenon. Comment expliquer ce silence qui ne sera réellement rompu qu'en 1702, où la pièce est enfin jouée comme elle doit l'être au théâtre de Versailles ?

Pour les contemporains, il se justifie par l'hostilité traditionnelle de l'Église contre le théâtre. Hostilité qu'un Racine retourné à des sentiments éminemment chrétiens ne pouvait négliger ; et d'autant moins que sa pièce, mélange de théâtre parlé et d'opéra, avait un côté profane qui ne pouvait qu'alarmer Mme de Maintenon. Celle-ci, déjà inquiète du succès d'*Esther* que ses « filles », entraînées par des chanteuses d'opéra venues renforcer les chœurs, avaient interprétée avec trop de zèle, se montrait en 1691 sensible, comme le confirment les *Souvenirs* de Mme de Caylus cités dans ses *Mémoires* par Louis Racine, le fils de l'écrivain, aux pressions de ses pieux amis. Notamment Godet des Marais, évêque de Chartres dont dépendait Saint-Cyr, ou François Hébert, curé à Versailles, qui redoutaient qu'*Athalie* ne tournât au spectacle mondain dans une maison en principe vouée à d'autres occupations. On supposera que, dans ce cas, Mme de Maintenon aura fait passer les dangers du théâtre avant le contenu moral de la pièce.

Plus récemment, une autre thèse a été avancée, qui explique l'échec d'*Athalie* par les liens de son sujet avec l'actualité politique du temps. Sujet d'emblée polémique, voire assez délicat, si l'on considère les sources où Racine l'a puisé, ainsi que les interprétations qu'on a proposées pour ces sources.

Les sources et leur exploitation

Comme l'*Athalie reine de Juda*, représentée en 1683 en province, et cette *Athalia* latine jouée en 1658 au collège de Clermont, qui sont les seules pièces antérieures traitant du même thème et auxquelles l'écrivain n'a rien emprunté, la tragédie de Racine s'inspire du chapitre xi du Quatrième Livre des Rois (1-21), devenu maintenant Livre II, ainsi que des chapitres XXII (9-12) et XXIII (1-21) du Livre II des Chroniques autrefois nommées Paralipomènes. Elle en suit le canevas qui, malgré son absence d'images (et les images qui font en partie l'intérêt d'*Athalie* viennent donc d'autres passages de l'Écriture), est pourtant fort éloquent dans sa sécheresse. Il relate en effet comment Joas, petit-fils, par son père Okosias, d'Athalie, reine de Juda (841-835 av. J.-C.), fut sauvé des mains de son aïeule, qui voulait venger la mort d'Okosias en tuant sa propre descendance, par sa tante Josaba (Josabet) qui le cacha dans le temple de Jérusalem. Ce qui permit au grand prêtre Joad, mari de Josaba, de l'installer sur le trône pendant qu'Athalie, expulsée sur son ordre hors du temple où elle était accourue en entendant les cris de joie des partisans de Joas, était mise à mort.

Ces deux textes furent repris par l'historien Flavius Josèphe (37-100 apr. J.-C.), dans ses *Antiquités juives*, et par Sulpice Sévère (360-420), dans son *Histoire sacrée*. Racine, qui les cite tous deux dans sa préface, s'est surtout inspiré de Flavius Josèphe pour quelques détails non bibliques : la construction par Athalie d'un lieu saint pour Baal (vers 946), le souhait de la reine, refusé par Joad, d'entrer au temple avec ses soldats (vers 1655-1658), son nouvel appel au meurtre

quand elle y voit l'enfant (vers 1727-1728), et surtout
le motif du complot tramé en secret par Joad avec les
lévites, qui se développe avec force dans sa pièce à
partir de la fin de l'acte III.

Mais, à part deux ou trois emprunts à l'*Ion* d'Euripide (tragédie qui raconte comment Créüse retrouve
miraculeusement son fils, perdu depuis la naissance,
à Delphes, et qui lui a sans doute donné l'idée du
dialogue de la reine et de Joas à l'acte II), l'essentiel
du sujet d'*Athalie* est bien dans la Bible. La préface,
déjà, le prouve. Faite pour la première édition, en
1691, elle est exceptionnellement longue. Racine y
rappelle à la fois les éléments majeurs du drame, son
arrière-plan ténébreux et ses heureuses conséquences
à longue portée.

À l'arrière-plan, il y a d'abord le schisme qui scinde
en 931 avant J.-C. le royaume de Salomon en deux
États rivaux, celui d'Israël, qui aura bientôt pour
capitale Samarie et regroupe dix tribus, et celui de
Juda (tribus de Benjamin et de Juda), dont la capitale
est Jérusalem et où règnent les descendants de David
(voir à la fin de cette introduction la chronologie). Il
y a ensuite la mort affreuse de Jézabel, reine d'Israël
de 874 à 853 avant J.-C. Tyrienne d'origine, adepte
du culte de Baal, dieu pour lequel elle fit construire
un temple dans Samarie, ennemie jurée du prophète
Élie, elle était la mère d'Athalie et fut jetée d'une
fenêtre de son palais sur l'ordre de Jéhu, un des officiers de son fils Joram. Sentant qu'elle allait mourir
et voulant mourir en reine, elle s'était parée de tous
ses bijoux. Comme Élie l'avait prédit, son corps fut
dévoré par les chiens. Il n'en resta que le « crâne, les
pieds et l'extrémité des mains » (Rois, IV, IX, 35)[1]. À

---

1. Chroniques, II, XXIII, 13, texte traduit par Lemaître de Sacy, édition de
référence ici, et citée pour le texte, sans qu'on indique nécessairement la
page, dans la réimpression préfacée par Philippe Sellier, Paris, Robert Laf-
font, « Bouquins », 1990. Le lecteur pourra naturellement consulter
d'autres versions, par exemple celle d'E. Osty et J. Trinquet (Paris, Éd. du
Seuil, 1973).

l'avant-scène du drame, regardant l'avenir où naîtra le Messie, surgit l'extraordinaire stature du grand prêtre Joad. Si les Rois n'indiquent pas explicitement qu'il mit la main à l'assassinat d'Athalie, les Chroniques, où il est écrit qu'il dit aux chefs de l'armée : « [...] percez-la de vos épées » (XXIII, 13), insistent clairement, cruellement, sur son rôle, circonstance que Racine reproduit également (vers 1793-1794).

Il assume du coup la responsabilité d'offrir à la méditation du public de 1691, tout pénétré de l'inviolabilité de l'autorité royale, un cas fort gênant, car c'est la seule fois que la Bible justifie le régicide. Pour trois raisons au moins, également présentes dans *Athalie*. La première, touchant au droit héréditaire, est seulement politique : c'est parce qu'elle a usurpé le trône revenant à Joas, disent les Rois et les Chroniques, ainsi que Sulpice Sévère, que la reine est éliminée. Le deuxième motif est religieux et veut que la mort de la « très impie » (Chroniques, II, XXIV, 7) qui favorisa le culte de Baal soit le châtiment de son idolâtrie. Développé dès le début par Racine, il s'affirme chez lui partout, grâce notamment à Joad et à Mathan, prêtre de Baal, dont le rôle très bizarre trouve ici sa justification profonde. Le troisième motif, enfin, mêle les deux premiers, mais en subordonnant la cause du droit à celle de Dieu. Davantage exposé par Racine que le précédent, il tient à la nécessité de maintenir dans la maison de David, dont Joas est le dernier rejeton, un trône que Dieu lui a promis pour longtemps. Souvent mentionné dans l'Ancien Testament, ce facteur est déterminant dans le Nouveau où le Christ est né « fils de David » (saint Matthieu, I, 1). C'est suggérer combien les chrétiens sont concernés par la mort d'Athalie, qui, rétablissant dans ses droits le sang de David, assure le salut du monde.

Le fait que cet événement soit dans les trois cas l'œuvre d'un prêtre n'était pas non plus indifférent pour les contemporains de Racine. Restaurateur de la légitimité, exécuteur de la justice divine ou garant du don fait à David, Joad est toujours le bras de Dieu, et son exemple était depuis longtemps cité par ceux qui prônaient la subordination du pouvoir temporel à l'Église. Vieux débat, on le sait. Il est ravivé au XVIe siècle où l'on envisage l'abdication forcée de Henri III, suspect d'hérésie, et où le célèbre cardinal Bellarmin (1542-1621) soutient que le pape a le « pouvoir indirect » (pouvoir spirituel appuyé sur des moyens temporels) de déposer les rois infidèles à l'Église. Au siècle suivant, la controverse ressurgit, lors du conflit entre Louis XIV et Rome, de 1673 à 1693. Les ultramontains, affirmant que le pape peut délier de leur obéissance les sujets d'un roi rebelle à l'Église, s'opposent aux gallicans, plus soucieux de l'indépendance du pouvoir civil. Parmi ces derniers, Bossuet, qui dit dans sa *Défense de la Déclaration du clergé gallican* qu'Athalie n'a pas été détrônée parce qu'elle a favorisé l'idolâtrie, mais pour avoir usurpé un pouvoir qui appartenait à Joas.

En 1691, au moment où *Athalie* est jouée, la querelle est d'autant plus vive qu'en Angleterre la révolution de 1688 a chassé Jacques II, qui est catholique, et porté au trône son gendre, Guillaume d'Orange (Guillaume III), appelé fin juin 1688 par les protestants, quand la seconde femme de Jacques II, jusque-là sans héritier mâle, a eu un fils qui, baptisé dans la religion catholique, risquait de ruiner les espoirs des anti-papistes. L'exil de Jacques II, accueilli fastueusement à Saint-Germain par Louis XIV en janvier 1689, posait néanmoins un problème de conscience. Même à certains prélats anglais, tel William Sancroft, archevêque de Canterbury, qui fut défait de sa charge en 1690 pour avoir refusé de reconnaître Guillaume III. Scrupule que n'avaient pas les orangistes qui, invoquant le cas d'Athalie, opposaient aux loyalistes l'argument du pouvoir de fait (Guillaume est établi par Dieu parce que les Anglais ne l'ont pas renversé). De plus, ils atténuaient l'exemplarité du précédent biblique en disant que la loi du sang, qui

favorisait incontestablement Joas et le prince de
Galles, ne s'appliquait qu'à la seule maison de David,
que Dieu avait exceptionnellement élue en vue de la
naissance du Christ. Mais ailleurs, c'était la voix du
peuple qui, en concluant un pacte avec Joas (Chroniques), avait manifesté le choix de Dieu. Et voilà qui
faisait du prince d'Orange un monarque voulu par
Dieu. Cette version ne pouvait évidemment être
acceptée en France où l'hostilité contre la maison
d'Orange était ancienne.

Athalie marque-t-elle les sympathies de son créateur pour Jacques II et son fils ? « Sa fuite fera un
roman quelque jour », écrit Mme de Sévigné, le
13 décembre 1688, à propos du petit prince de Galles
dont elle suit les aventures avec passion [1]. « Racine en
a tiré une tragédie », semblent dire ceux de ses lec-
teurs qui, tel J. Orcibal, entendent dans le chœur vir-
ginal de Saint-Cyr, accouru aux côtés des Stuarts, le
« chant de guerre du corps expéditionnaire [2] » que
Louis XIV aurait débarqué en Angleterre pour chas-
ser l'intrus. Sinon l'assassiner comme Athalie. Cette
interprétation s'appuie certes sur nombre de coïnci-
dences.

De dates, d'abord, puisque la première représentation de la pièce a lieu au moment où la restauration
de Jacques II paraît possible. L'Irlande catholique
s'est en effet soulevée en 1689, et Jacques II y a
débarqué aussitôt avec pour viatique les prières et les
généreux subsides des Français. Quoique défait par
son rival à Drogheda le 11 juillet 1690, Jacques II
peut compter à la fois sur les succès français (brillante
victoire de Tourville à Beachy-Head, sur la côte
anglaise), et sur les Irlandais qui assiègent Guillaume
dans Limerick et l'obligent à capituler le 7 octobre

---

1. Correspondance, *op. cit.*, p. 428.   2. Jean Orcibal, *La Genèse d'Esther et d'Athalie*, Paris, Librairie Vrin, 1950, p. 81. Ce livre précise notamment les positions défendues par Michelet en 1861, l'Allemand K. Meier au début du siècle, et M.-G. Charlier (« *Athalie* et la Révolution d'Angle-terre », *Mercure de France*, 1er juillet 1931, pp. 74-100).

1690. Il y a ensuite la possibilité de personnages à clé, comme dans *Esther* où la nièce de Mardochée serait Mme de Maintenon, Assuérus, Louis XIV, et Vasthi, Mme de Montespan. Ainsi, Mathan serait Gilbert Burnet (1643-1715), conseiller de Guillaume III, et la longue tirade étalant son athéisme, sa soif des grandeurs et son ascendant sur Athalie (vers 919-962) se rapporterait principalement aux mœurs et à l'opinion corrompues de Burnet, esprit fort qui aurait de surcroît inspiré au personnage racinien, outre son appât du gain (vers 47 et 368), les soupçons qu'il jette sur la naissance de Joas (vers 608-609), où certains ont vu la trace d'une légende orangiste selon laquelle le prince de Galles n'était pas le fils de Jacques II.

C'est évidemment Athalie qui retient le plus l'attention de la lecture « jacobite ». Selon cette thèse, les Tyriens au service de la reine sont les Hollandais de Guillaume III, de même que la Syrie est le Saint Empire, le vers 477, où Athalie dit que le « Syrien » l'appelle « reine » et « sœur », désignant l'Empereur qui avait dès septembre 1690 reconnu Guillaume III. Bref, sous le nom d'Athalie, il faut lire celui de Guillaume III combattant l'« enfant merveilleux » (vers 752) et mettant au service de cette lutte ses pires armes : son indifférence en matière religieuse, soulignée chez Racine aux vers 453 et 524-531, ou la persécution des catholiques, devenue celle des prêtres de Joad.

Si bien que le silence entourant les premières représentations d'*Athalie* s'éclairerait en définitive par le faux pas de Racine qui, appuyé par Mme de Maintenon très dévouée à Jacques II, mais non suivi par le roi, aurait renoncé à faire jouer publiquement sa tragédie pour ne pas s'opposer à la nouvelle politique extérieure de Louis XIV. Bien que Louis XIV eût déclaré qu'il voulait qu'« on respecte [Jacques II] plus que s'il régnait » (allusion possible aux vers 1066-1075, dans le portrait favorable de Jéhu vu par Josabet ?), il n'accorda finalement pas à Jacques II toute l'aide que ce dernier en espérait. *Athalie* serait donc un « manifeste interventionniste » rendu « malencontreux[1] » à cause de la *Realpolitik* de Louvois qui, effrayé par l'isolement de la France (qui a toute l'Europe contre elle depuis 1686) et la guerre de la Ligue d'Augsbourg, aurait conseillé au roi d'attendre que les Anglais renversent Guillaume III pour soutenir plus activement son adversaire. On sait que cette révolte n'eut pas lieu, et que le fils de Jacques II, devenu bientôt l'*Old Pretender*, mourut en 1766 sans avoir connu le bonheur de Joas. C'était le temps où George III commençait son règne et où Louis XV achevait le sien : *Athalie* entrée dans la légende de son créateur s'était depuis longtemps arrachée à des circonstances révolues.

Dans l'esprit et le texte de la Bible

Ces circonstances sont-elles d'ailleurs aussi lisibles dans la pièce ? Bien des spécialistes de Racine ne croient guère à la « clef britannique[2] », que, en dehors d'une allusion du père Quesnel — d'ailleurs assez ambiguë, puisqu'elle convient tout aussi bien aux clefs jansénistes[3] —, aucun document d'époque n'atteste. Ce qui, vu le bruit que fit en France la révolution d'Angleterre, est effectivement bien curieux. Étrange, aussi, que Racine parle beaucoup de Joas et très peu de son père Okosias, qui est mort. Or le prince de Galles n'a que deux ans en 1690, tandis que Jacques II est encore bien vivant et ne mourra

---

1. Tout ce qui précède résume l'analyse de J. Orcibal, *op. cit.*, pp. 58-83.   **2.** R. Picard, *La Carrière de Jean Racine*, Paris, Gallimard, 1961, p. 422.   **3.** « Il y a des endroits qui sont des dénonciations en vers et en musique, et publiés au son de la flûte. Les plus belles maximes de l'Évangile y sont exprimées d'une manière fort touchante, et il y a des portraits où il n'y a pas besoin de dire à qui ils ressemblent », cité par P. Mesnard, dans son édition des *Œuvres complètes* de Racine, « G.E.F. », Paris, Hachette, 1885-1888, tome VII, p. 327.

qu'en 1702. Racine n'eût-il pas alors été un peu irrévérencieux en annonçant le couronnement du fils avant la restauration du père ?

Pas plus que les autres œuvres de Racine, *Athalie* n'est certes insensible à l'actualité du temps, et il est probable que l'historiographe d'un roi acquis pour des raisons de principe à Jacques II n'ait rien ignoré des affaires d'Angleterre. Aussi bien, quel catholique français d'alors, effrayé par l'« homme pâle » attrapant « en eau trouble une île tout entière » (La Bruyère), n'eût-il pas applaudi le vers de Josabet (vers 1076) : « Sa cause à tous les rois n'est-elle pas commune ? » Et qui, dans une cour officiellement émue des malheurs d'un exilé à la mamelle, n'aurait pas vu dans le « suppliant » du vers 1075 une délicate allusion à un prince que ses parents qui savaient faire campagne pour l'innocence persécutée exhibaient partout ?

Faut-il pour autant admettre que Racine ait surtout peint dans Joas « Jacques III » ? Ce serait considérablement réduire la portée chrétienne de la pièce où Joas, dont le nom signifie « Dieu a donné », est l'ancêtre et le précurseur du Christ nommément cité au vers 1485 (au sens propre du mot). Le premier nom de Joas lui-même éclaire cette filiation. Et deux fois : un Éliacin est l'ancêtre du Christ dans la généalogie de saint Matthieu (I, 13) et dans celle de saint Luc (III, 30) ; et d'un autre Éliacin, ou Éliacim, dignitaire de la cour du roi Ézéchias, Isaïe dit qu'il eut en main la « clé de la maison de David » (XXII, 22). Mais cette clé, symbole des portes du royaume divin, est dans l'Apocalypse tenue par le « Saint et le Véritable » (III, 7). Autrement dit, par le Christ, maître du royaume éternel.

L'interprétation messianique, base de la théologie chrétienne, est donc dominante dans *Athalie*. De même que chez Sulpice Sévère et Flavius Josèphe, ou chez Bossuet, que Racine cite en préface et au vers 256, où Joas est le « précieux reste de la maison de David », selon une expression du *Discours sur l'histoire universelle* (1681). Toutes sources qui expliquent l'importance de la prophétie de Joad (vers 1173-1174), très proche de celle d'Isaïe (XLV, 8) ; ou des allusions d'Abner (vers 140) et d'une choreute (vers 781, 1490-1491) à la traditionnelle iconographie florale du Christ, figuré comme la cime de l'arbre de Jessé, dont les racines remontaient à David.

Il n'est pas sûr que les « petites filles » de Saint-Cyr, comme disait Mme de Sévigné, aient suivi de près les événements d'Angleterre. Pouvaient-elles toutefois ignorer le miracle par lequel l'Écriture accomplit la promesse d'Isaïe ? En privilégiant une vérité déjà présente dans *Esther* (vers 268), Racine avait sans doute les yeux fixés plus haut que l'Angleterre et, si sa pièce délivre un message politique, ce message, à l'imitation de celui de Bossuet, pose la question du pouvoir royal en termes plus généraux.

Athalie. Tragédie tirée de l'Écriture sainte, d'un côté, *Politique tirée de l'Écriture sainte*, titre d'un traité de Bossuet écrit pour le Grand Dauphin et son fils, de l'autre : on aimerait dire qu'*Athalie* est une tragédie politique tirée de l'Écriture sainte, tant ses thèses rejoignent celles de l'évêque de Meaux. Pour Bossuet, le roi est le représentant de Dieu sur Terre. L'onction du sacre, sur laquelle il insiste, lui donne le titre de « christ » (oint, en grec), terme que Racine applique également à Joas, et les « prophètes » qui le « révèrent » lui doivent respect et soumission[1]. Dans *Athalie*, même insistance sur la signification du couronnement de Joas qui se déroule à la fin de l'acte IV et au début de l'acte V. S'il s'inspire déjà de l'intronisation des rois bibliques où l'officiant répandait de l'huile sur le souverain comme Samuel le fit sur la tête de Saül, premier roi d'Israël (Rois, I, X, 1), il reprend surtout la liturgie des sacres de Reims, que tout Français du temps de Racine a en mémoire : arrivée solennelle

---

1. *Politique tirée de l'Écriture sainte*, dans *Œuvres complètes*, édition de 1828, Paris, Gauthier Frères et Cie, tome XVI, pp. 82 et 83.

de Joas devant qui on porte l'épée (à Reims, c'est le connétable de France qui la portait devant le roi entrant à la cathédrale) ; dépôt de l'épée, de la couronne nommée « bandeau » de David et du livre de la Loi sur l'autel (comme à Reims l'Évangile était posé sur l'autel) ; hommage de Joad qui se prosterne devant Joas et l'embrasse (à Reims, ce rite sous forme de révérence suit l'onction) puis invite les lévites à le saluer en roi ; enfin, onction et couronnement par Joad, suivis par les acclamations des sujets, le « Vive le roi Joas ! » du vers 1534 rappelant le « *Vivat rex in aeternum* » de Reims. Il n'est même jusqu'à la scène de Joas placé sur le trône (acte V, scène 4) qui ne rappelle l'élévation du roi sur le jubé de la cathédrale de Reims.

Pareille fidélité au rite majeur de la monarchie ne s'explique pas seulement par l'admiration de Racine pour Louis XIV. Depuis *La Thébaïde*, nombre de ses pièces s'interrogent sur le pouvoir des princes, sur sa portée et ses limites. Mais *Athalie* est la seule à poser la question en termes chrétiens. Pour Bossuet, le souverain n'est pas au-dessus de la Loi divine ; il doit veiller à son application, rendre bonne justice, protéger la foi catholique et gouverner ses sujets en étant attentif aux plus humbles. Le message de l'évêque de Meaux est repris par Joad. Joas, qui lit et écrit la Loi (vers 662-664), doit donc être un roi très chrétien. Avant son sacre, de la même manière que l'archevêque de Reims interrogeait le roi de France sur ses devoirs, le grand prêtre lui enseigne sa mission : aimer Dieu, protéger ses prêtres, fuir les richesses, ne pas lever d'impôts injustes (vers 1278-1282). « Étroites lois » pour qui croit que le roi peut tout (vers 1276). À Reims, le peuple et le clergé priaient pour que le roi, *mediator cleri et plebis*, intercesseur entre eux et Dieu, soit fidèle à sa promesse. Le moment n'est pas moins solennel pour Joas à qui Joad indique les fautes qui le guettent : « ivresse » de l'« absolu pouvoir », mépris des « saintes lois », dédain du « peuple » jugé

« vil », et recherche de la « grandeur » du roi érigée en seule règle de conduite. Tel est le chemin de l'« abîme » des mauvais rois (vers 1393-1398). N'est-ce pas tracer là, entre l'autocratie et l'anarchie, la voie moyenne seule permise à un souverain chrétien nourri de la Bible ? On dit que, peu avant la Révolution de 1789, le public applaudissait ce passage, et qu'un peu plus tard Fouché qui s'y connaissait en subversion interdit la représentation d'*Athalie* à Amiens[1]. L'un et l'autre avaient sans doute compris que Racine, rejoignant ces moralistes pour qui la parole divine jamais morte reste source d'*exempla*, avait voulu offrir une grande leçon aux rois.

Ou, plus généralement, au public chrétien de son temps, pour qui la promesse messianique et la doctrine sur le bon usage du pouvoir royal ont leur source dans la Bible, toute la Bible, Ancien et Nouveau Testament étroitement soudés. Or cette Bible totale est dans *Athalie*, et c'est tout un monde. Ce monde qui dépasse, mais pour le situer dans l'histoire du salut, le destin de la fille de Jézabel, Racine le connaît, qui vit depuis l'enfance dans le commerce des textes saints. Il n'en restitue pas la couleur locale — non, le terme est trop faible si on songe que plus de cinq cents vers s'y réfèrent ; il en ouvre grand les portes, en retrace l'histoire jalonnée de lieux élus (le Sinaï, le rocher d'Horeb, les tours de Jéricho, le temple de Jérusalem), de personnages exemplaires (Moïse, David, Jahel, Élie), d'ennemis de Dieu, de prodiges (la manne), d'errements (le veau d'or) et de marques de fidélité (le sacrifice d'Abraham). L'Exode, le Deutéronome et le Lévitique lui fournissent nombre de détails sur la vie, les mœurs et la religion des Juifs. Et ces détails sont souvent très précis, singulièrement quand ils touchent aux fonctions sacerdotales, qu'il s'agisse du rituel des sacrifices d'expiation décrits aux

---

1. Georges Mongrédien, *Athalie de Racine*, Paris, Edgar Malfère, 1929, pp. 99 et 119.

vers 221-224 (les prêtres élèvent les offrandes vers le ciel et répandent le sang autour de l'autel), de la robe de lin des lévites (vers 508-509), ou du privilège des descendants d'Aaron (vers 443), dont l'Exode dit qu'ils furent séparés du « milieu d'Israël » pour exercer le ministère divin. Un mot quelquefois suffit. Ainsi de Josaphat, roi de Juda de 870 à 848 avant J.-C. Au vers 78, il est dit « saint ». Avec raison : il abattit les idoles et remit en honneur l'enseignement de la Loi. Telles sont les clefs premières d'*Athalie*, les moins contestables ; tel est son univers, plein d'échos. Plein, aussi, d'une parole — car la Bible est un *texte* — que Racine connaît par cœur, qui est sa nourriture spirituelle, qu'il cite souvent et à laquelle il doit plier la langue et le style français. Tâche autrement plus ardue que celle de l'évocation d'un monde parce qu'elle exige que l'écrivain ait le texte biblique en regard[1].

Renan écrivait en 1823 qu'*Athalie* est une tragédie plus grecque que biblique. C'était n'avoir ni oreilles ni yeux. Répétons-le, la dernière pièce de Racine plonge dans le texte de la Bible qui lui donne, au-delà des lectures ponctuelles, sa signification dernière.

Musique

Esther et *Athalie* présentent une double particularité au regard des autres tragédies de Racine. Grâce au chœur, elles marquent un retour à la grande tragédie chorale du XVIᵉ siècle, abandonnée notamment pour des raisons techniques et financières (présence sur scène d'un grand nombre d'acteurs qu'il fallait

---

1. On a tenté, après d'autres, de dresser un Index des vers d'*Athalie* venus de l'Écriture. Ils figurent dans notre édition précédés d'un astérisque. On trouvera cet Index immédiatement après le texte et les variantes (p. 155). Il montre qu'au moins deux cent neuf vers, douze pour cent du total, sont, pour reprendre le sous-titre de la pièce, « *tirés* » de la Bible.

payer) ; faisant appel aux chants et aux instruments,
elles ouvrent chez Racine la tragédie à la musique.

Il y a beaucoup à dire sur les choreutes d'*Athalie*.
Filles ou sœurs des soldats de Joad, elles entrent sur
la scène au milieu de l'acte I, n'en sortent que rare-
ment et vivent tous les grands événements, par exemple, le siège du temple au début de l'acte V.
Commentant l'action, elles en dégagent la portée
morale, notamment à l'issue de l'acte II où elles souli-
gnent la vanité des plaisirs du monde. Enfin, elles
intercèdent constamment pour les lévites et Joas
auprès de Dieu. Surtout en cas d'urgence, lorsque
Joad repart pour le temple cerné (acte IV). Pour les
Anciens, le chœur est un des acteurs de la tragédie,
en dégage la leçon éthique, et, médiateur entre le
public et le héros, prie les dieux pour l'un et pour
l'autre [1]. Ces trois fonctions — présence, admonesta-
tion et supplication —, Racine les reprend à la lettre.
Il y joint celle qu'on pourrait nommer la « célébra-
tion », présente dans le grand chant de louange de la
fin de l'acte I, et celle de l'« Annonciation », mystère
chrétien de la promesse messianique, sensible dans le
lyrisme des chants des actes II, III et IV. D'un bout
à l'autre de la pièce, le chœur est donc dans le fil de
l'œuvre.

La musique, fond sonore du texte, mérite autant
l'attention. D'*Esther*, Racine écrivait qu'il voulut
composer une « espèce de poème où le chant fût mêlé
avec le récit » (préface). *Athalie*, à la fois œuvre parlée
et drame chanté, est de même une pièce hybride qui
est dans le ton des « anciennes tragédies grecques » où
« chœur » et « chant » sont liés « avec l'action ». La
seule différence est qu'ici il s'agit de chanter le « vrai
Dieu [2] ». Ainsi, toute révérence faite à la religion chrétienne, est dévoilé un des modèles du lyrisme de la

---

1. On aura reconnu ici les principes de l'*Art poétique* (*Épîtres*), d'Horace,
texte établi et traduit par F. Villeneuve, Paris, Belles Lettres, 1955,
vers 193-202, pp. 212-213.   2. *Œuvres* de Racine, édition de R. Picard,
op. cit., p. 812.

pièce de 1689 et de celle de 1691. Le Racine de *La Thébaïde*, d'*Andromaque*, d'*Iphigénie* et de *Phèdre* avait déjà beaucoup emprunté aux Grecs, et dans toutes ces pièces se sentait l'atmosphère étouffante, cris et silence, du théâtre antique. Cette insondable « *stupeur* », dont parle Georges Bataille à propos de Racine, fait que, la tragédie achevée, rien n'est clos parce que le public, figé devant la démesure, est toujours sous le choc du tragique sans mots.

Le chant d'*Athalie* ajoute toutefois au silence, en prolongeant le message du chœur par les airs de Jean-Baptiste Moreau. Non que, dans une interprétation sans musique, où le texte choral est simplement récité comme cela se passe souvent, sa spécificité prosodique et rythmique se perde complètement. Distribués en strophes et mètres variables puisqu'on va du vers de quatre syllabes à l'alexandrin, et de la strophe d'un vers à celle de onze, les chants du chœur jouent constamment sur les effets de contraste en fonction de leur contenu. Ici monte la solennité des alexandrins paraphrasant le grand psaume 18 (versets 1-2) :

> Le jour annonce au jour sa gloire et sa puissance,
> Tout l'univers est plein de sa magnificence ;

là, le décasyllabe dominant et bien frappé traduit le rêve des « méchants » :

> Rions, chantons, dit cette troupe impie.
> De fleurs en fleurs, de plaisirs en plaisirs,
> Promenons nos désirs.
> Sur l'avenir, insensé qui se fie ;

ailleurs s'opposent, comme la douleur à la joie, des vers de longueur très heurtée qui montrent de la voix l'ennemie de Dieu :

> Sion, chère Sion, que dis-tu quand tu vois
> Une impie étrangère
> Assise, hélas ! au trône de tes rois ?

D'autres contrastes ne seront cependant vraiment
rendus que par le chant. Celui, déjà, des voix d'ensemble et des solos, que l'on trouve dans ce « Partez,
enfants d'Aaron, partez » du *chant du départ* de la fin
de l'acte IV. À raison d'un tiers pour tout le chœur et
de deux tiers pour les solistes, la répartition introduit
dans la pièce le dialogue mélodique, et, si elle permet
à Racine de mettre en valeur telle ou telle belle voix
de Saint-Cyr, elle anime surtout la prière où elle symbolise phoniquement l'unité et la diversité du peuple
élu ou de l'Église.

Autre nuance, mais rigoureusement intraduisible
sans musique, celle qui distingue dans le texte choral
vers parlés et vers chantés. Hormis la fin de l'acte I,
où monte l'hymne de louange avant le combat, tous
les chœurs contiennent une partie parlée placée soit
au début, aux actes II et III, où elle porte sur la situa-
tion de Joas ou sur les agissements d'Athalie, soit
enfin, à l'acte IV, quand elle accompagne la brusque
fuite des jeunes filles. Mais que veut dire cela, sinon
que le vers parlé couvre tout ce qui a rapport avec
l'action (le « récit », selon la préface d'*Esther*), alors
que le chant, qui médite sur la signification morale
de la tragédie, est la forme achevée du dialogue avec
Dieu ?

On ne saurait donc, selon une thèse souvent avancée, expliquer la fonction de la musique d'*Athalie* uni-
quement par l'influence de l'opéra au XVIIe siècle. La
pièce n'est d'ailleurs pas un opéra, mais une tragédie
avec musique de scène. L'influence de l'opéra, qui
renvoie à l'aspect « mondain » de la pièce — disons :
son côté « Cour » —, est naturellement loin d'y être
négligeable. On sait qu'après l'énorme succès des
pièces à machines et comédies-ballets de Molière et
de Lully dans les années 1660-1680 (*Le Bourgeois gen-
tilhomme* est de 1670), l'opéra contamine rapidement
le théâtre parlé et, surtout, se constitue en art auto-
nome : une « ouverture » de Lully, prototype des
célèbres « entrées » à la française, accompagne la

reprise de l'*Œdipe* de Corneille en 1664, et *Cadmus et Hermione*, première « tragédie lyrique » et mythologique de Lully, est joué en 1673 (avec un livret de Quinault). Par la simplicité de son intrigue moins complexe que celle de l'opéra italien, par le rôle qu'il accorde au chœur devenu véritable acteur du drame, l'opéra naissant a certainement fourni un modèle partiel à Racine. Aussi bien, la prophétie de Joad, introduite et coupée par la musique, a quelque ressemblance avec le récitatif de l'opéra du XVIIe siècle, où le texte épouse le rythme du vers français. Tout cela, joint à l'engouement du roi et de la cour pour le genre nouveau, expliquait déjà le succès d'*Esther*, et ne fut sans doute pas absent des intentions de Racine quand il composa son œuvre en 1690.

La comparaison avec la « tragédie lyrique » ne doit cependant pas être poussée trop loin. *Athalie*, dont le lieu, les costumes et le sujet viennent de l'Écriture, est également une pièce qui veut faire entendre le lyrisme de la Bible. Et l'usage, attesté, du chant et des instruments dans les prières et le culte juifs n'a pas moins influencé le poète. Il le signale dans la préface, pour expliquer la présence de la « symphonie » (le mot signifie simplement une « musique pour orchestre »), lors de la vision de Joad qui, qualifiée bien injustement d'« épisode » (action secondaire), « appelle très naturellement la musique » parce que les prophètes parlaient en se faisant accompagner de la lyre. Voilà donc le mélodrame de Joad (terme technique pour un texte accompagné d'un commentaire musical) justifié par Élisée qui prophétisa devant les rois au son de la harpe (Rois, IV, III, 15).

Dans la pièce elle-même, on mentionne de la musique chez les Juifs. C'est le son de la trompette qui permet à Josabet, aux vers 307-310, d'introduire les choristes, et, soit dit en passant, avec plus de naturel que dans *Esther* où l'invite de la reine à l'acte I, son « Mes filles, chantez-nous quelqu'un de ces cantiques », sent un peu l'artifice. Autre mention, celle de

Joas au vers 675, quand il dit : « J'entends chanter de Dieu les grandeurs infinies. » Si l'on sait que David créa un chœur de quatre mille lévites pour les offices du temple, voilà qui ne manque pas d'être singulièrement juste. En introduisant la mélodie dans sa pièce, Racine ne faisait en somme qu'obéir à une contrainte posée par son sujet.

Drame adaptant le lyrisme des psaumes aux airs du XVIIᵉ siècle, *Athalie* est enfin une tragédie chrétienne qu'on gagnera à ne pas trop écarter du chant d'Église en usage au XVIIᵉ siècle (de la même manière que l'oratorio, né au XVIᵉ siècle en Italie, est rapproché de l'*oratorio vespertino*, office religieux du soir destiné aux laïcs, et composé de cantiques qui racontent, souvent sous forme de dialogue, une histoire sainte). Grâce à cette allure plus spécifiquement catholique — nous dirons que c'est le côté « Saint-Cyr » de la pièce —, les chants du chœur retrouvent sans doute leur public d'origine. Et une partie de leurs sources, inscrites dans la pratique religieuse du temps.

N'oublions pas, n'oublions surtout pas que Racine compose sa pièce d'abord pour les demoiselles de Mme de Maintenon, qui suivent régulièrement les offices. Avec ses messes, vêpres, complies, saluts du Saint Sacrement et autres célébrations, avec ses chorales pratiquant la monophonie grégorienne ou les hymnes polyphoniques, la fastueuse liturgie qu'a connue l'Église jusqu'au concile Vatican II offrait au poète un modèle relativement exploitable, et il est donc probable que les pieuses élèves de Saint-Cyr aient suivi la représentation d'*Athalie* comme une sorte de culte transposé au théâtre.

Leur connaissance de l'histoire sainte, sans cesse sollicitée par les allusions de la pièce, les y disposait d'emblée ; la musique imitative de Moreau, très proche du plain-chant, les y poussait encore davantage, et la distinction, dans les chœurs, entre voix en solo et voix d'ensemble ne leur donnait pas moins l'illusion d'être à l'église. Cette dernière nuance rap-

pelle en effet la technique du *chant responsorial* utilisée
pour les psaumes dont les versets étaient chantés tantôt par la chorale ou les célébrants, tantôt par les
fidèles. Le texte des vers, tout illuminé par la lumière
de la grande « Promesse » symbolisée par Joas
(vers 1212), n'est pas non plus sans quelque analogie
avec un temps liturgique qu'elles connaissaient bien,
puisqu'il s'agit de celui de Noël, fête qui précédait de
peu la première représentation d'*Athalie*, le 5 janvier
1691. Ainsi, telle partie de la prophétie de Joad
(vers 1173-1174) :

> Cieux, répandez votre rosée,
> Et que la terre enfante son Sauveur !

commence comme l'hymne de l'avent : « *Rorate cœli
desuper* » ; et même des détails apparemment mineurs
renvoient aux offices de Noël. Les matines de cette
fête célèbrent l'« étonnant mystère » de la Naissance,
et le chœur des filles de Lévi chante le « ténébreux
mystère » (vers 1213) ; les matines utilisent largement
le Psaume 88, et, dans des citations destinées à *Athalie*[1], Racine a copié un certain nombre de versets de
ce psaume. Il ne les utilisera pas dans la prophétie de
Joad, ou les traduira ailleurs, au vers 1485, par exemple ; mais l'esprit du Psaume 88, tout plein des serments faits à David, se retrouve dans toutes les parties
chorales de la pièce.

Athalie, qui ne parle si bien aux Grands que parce
qu'elle est d'abord mise en musique pour des adoles-
centes, n'est décidément pas une pièce comme les
autres. Combinant la partition d'opéra, le Livre des
psaumes et le missel, elle témoigne d'une lecture inspirée de l'Écriture et occupe une place à part dans la
vie de Racine. Et dans son œuvre théâtrale qui se ter-

---

1. Cet autographe, découvert en 1935 lors de la vente de la bibliothèque
de L. Barthou, regroupe les citations du Psaume 88 sous l'indication « Promesses faites à David ». Il est reproduit par J. Orcibal, *op. cit.*, pp. 143-144,
et par R. Picard, dans son édition des *Œuvres complètes* de Racine, *op. cit.*,
tome I, p. 954.

mine comme ses *Cantiques spirituels*, en laissant la dernière note à l'Éternité.

L'accueil qu'on doit lui réserver ne peut donc ignorer le rôle qu'y joue la voix chantée, marge et signification dernière du texte parlé, et plus que lui chargée d'exprimer la solennité de l'ensemble. Cette musicalité indispensable explique peut-être la réticence des metteurs en scène à monter la pièce (à la Comédie-Française, elle est une des moins représentées des œuvres de Racine), ou les changements qui, au fil des siècles, intervinrent dans sa musique et ne furent pas toujours conformes aux intentions de l'œuvre telles que le texte les manifeste au regard et à l'oreille.

Aux airs de Moreau, jugés trop proches des mélodies grégoriennes, succédèrent en Allemagne ceux de Jean Abraham Schultz (1747-1800), musicien de la cour de Berlin. Schultz composa en 1785, avec l'aide de Georg Vogler, un accompagnement qui fut joué pendant une cinquantaine d'années bien qu'il eût introduit des voix d'hommes dans les chœurs. Vers la même époque, mais en France, François Joseph Gossec (1734-1829), compositeur presque officiel des fêtes révolutionnaires, créait en 1791 une nouvelle partition, davantage portée par l'esprit des temps nouveaux où un Joad laïcisé symbolisait le triomphe du peuple sur le despotisme royal.

Un peu avant, Haendel, l'auteur du *Messie* (1741), s'était rendu célèbre en Angleterre par une *Esther* (1732) et une *Athalia* (1733). Mais il s'agissait strictement d'oratorios, non de musiques de scènes, et leur livret, écrit par S. Humphreys, adaptait librement le texte de Racine. Plus fidèle fut la création de Boieldieu (1775-1834). Lors de son séjour à la cour de Saint-Pétersbourg entre 1802 et 1811, il devait composer une musique qui, lorsqu'elle fut exécutée pour la première fois en France, en 1836, à la Comédie-Française, frappa le public par sa beauté, sensible notamment dans les passages où Racine imite les psaumes.

Vint enfin Mendelssohn-Bartholdy (1809-1847). Sa musique pour *Athalie* (*Opus 74*), créée à Berlin en 1845 pour le roi Frédéric-Guillaume IV, reste la seule vraiment connue de nos jours. Elle fut même très connue au début du siècle, quand la *Marche d'Athalie* (départ des lévites à la fin de l'acte IV) était régulièrement jouée lors de l'arrivée des souverains étrangers à l'Opéra de Paris ou dans quelque autre palais de l'État. Paradoxe de la Troisième République, où la laïcité « éclairée » faisait bon ménage avec le prétendu obscurantisme des siècles reculés...

Synthèse de la fougue romantique et de la piété sereine de Bach, la musique de scène de Mendelssohn, parfaitement adaptée aux voix féminines, frappe par son ouverture majestueuse, quand résonne l'appel des trompettes de la Pentecôte, et par sa bonne interprétation de la scène de la prophétie, autre morceau resté célèbre. Pourtant, peut-être parce que Mendelssohn était allemand et d'une famille israélite fraîchement convertie au protestantisme, quelques Français du XIXe siècle jugèrent sa musique, où l'on retrouve la mélodie d'un des grands chorals de Luther, trop chrétienne, ou allemande, et pas assez hébraïque. « Luther et Joad », disait d'ailleurs vers 1888 un journaliste de Paris, qui reprochait à Mendelssohn de n'avoir pas su rendre la cruauté du Dieu d'Israël. Les Français ne firent pourtant pas mieux par la suite : ni Jules Cohen, qui composa une musique des chœurs tout en reprenant la symphonie de Boieldieu, ni Reynaldo Hahn qui adapta *Athalie* pour Sarah Bernhardt en composant un mélange de Verdi et d'opérette, ne réussirent à s'imposer durablement. Plus récemment, Marius Constant a écrit une partition, et d'autres s'y sont employés, en faisant au besoin appel à l'orgue.

Tout le monde sent bien qu'*Athalie*, qui exige déjà la présence d'un vrai chœur de jeunes filles, donc une mise en scène coûteuse, ne peut se passer du fracas des trompettes et de la puissance d'un orchestre.

Mais son texte chanté, si on le détache de la musique
de Moreau, semble toujours attendre celui qui saura
lier les notes aux paroles en respectant l'esprit du XVIIᵉ
siècle et du nôtre. Tâche sans doute difficile. Est-elle
néanmoins impossible à un moment où la mise en
scène contemporaine insiste sur la violence racinienne
tandis que l'opéra redécouvre les fastes de l'opéra de
Lully ? La dernière tragédie de Racine retrouverait
ainsi le climat de son temps, sans perdre son contenu
transhistorique qui fait qu'elle est malgré les chiens
de Jézabel — ou à cause des chiens de Jézabel ? —
toujours actuelle. Obstinément actuelle. Durement
actuelle. Mais cette autre dimension d'*Athalie*, à la
fois dans l'histoire changeante des hommes et hors
d'elle, très éloignée et pourtant très proche de nous,
n'est-ce pas ce qu'on appelle maintenant tout simplement le *Sacré* ?

                                        Gilles ERNST

Note sur la présente édition

Cette édition d'*Athalie*, revue et augmentée, reproduit, comme la précédente parue en 1993 dans la
même collection et comme celles de Paul Mesnard et
de Raymond Picard (voir bibliographie), le texte des
Œuvres complètes de Racine, en 1697, à Paris, en deux
volumes in-12, chez Denys Thierry ou Claude Barbin
(Bibliothèque nationale de Paris, cote Rés. Yf 3228-
3229). C'est la dernière édition originale collective
des tragédies de Racine, et le texte d'*Athalie* se trouve
dans le tome II, pp. 409-507.

Par rapport à l'édition *princeps*, parue en 1691, et à
la seconde, qui est de 1692 (l'une et l'autre chez le
même éditeur que celle de 1697), l'édition de 1697
présente quelques variantes qui sont indiquées p. 153.

Ce texte est ponctué selon les règles actuelles, et
son orthographe est modernisée.

Il est précédé par la préface que Racine a écrite pour la première édition, et qui est reproduite dans les suivantes. Vu que les principaux événements et personnages mentionnés dans cette préface sont expliqués pour l'essentiel dans notre dossier, p. 129, puis dans la Chronologie ci-après, il n'a pas paru utile de les expliquer une seconde fois par des notes. Pour la syntaxe et la versification, on pourra consulter nos remarques d'ensemble (p. 169 et suiv.) et, pour la langue, le Glossaire (p. 171 et suiv.).

CHRONOLOGIE DES ÉVÉNEMENTS
MENTIONNÉS DANS *ATHALIE*

Av. J.-C.

1030-1010   SAÜL, premier roi d'Israël, sacré par Samuel.

1015-975   DAVID
Transfert de l'arche d'alliance à Jérusalem, capitale politique et religieuse du pays.

975-931   SALOMON, fils de David.
Construction du Temple (959-946) et organisation de la liturgie (service, notamment, des lévites).

931   Schisme dans les douze tribus.

ROYAUME DE JUDA (SUD)	ROYAUME D'ISRAËL (NORD)
931-914 ROBOAM, fils de Salomon.	931-910 JÉROBOAM.
914-911 ABIYYA.	
911-870 ASA, fils d'Abiyya.	910-909 NADAB, fils de Jéroboam.
	909-886 BAACHA, lieutenant de Nadab, lui succède ; assassine la famille royale.
	886-885 ELA, fils de Baacha.
	885 ZIMRI, officier d'Ela, tue ce dernier. Il est appelé le « roi de sept jours ».

Royaume de Juda (sud)	Royaume d'Israël (nord)
	885-874 Omri, officier d'Ela. Il fonde Samarie en 880.
870-848 Josaphat, fils d'Asa. Roi pieux, en paix avec les voisins d'Israël. Il marie son fils Joram avec Athalie.	874-853 Achab, fils d'Omri. Il épouse Jézabel, fille du roi de Tyr ; il a pour fille Athalie. Idolâtre, il construit un temple de Baal à Samarie. Conflit avec Élie qui fait massacrer les prophètes de Baal. Épisode de la vigne de Naboth. Jézabel, maudite par Élie, est tuée par Jéhu. Son cadavre est dévoré par les chiens.
	853-852 Okosias, fils d'Achab et frère d'Athalie.
848-841 Joram, mari d'Athalie. Idolâtre, tue ses frères. Royaume envahi par les Philistins. Maudit par Élie, il meurt d'une maladie du ventre. A pour fille, d'une autre femme, Josabet.	852-842 Joram, frère d'Okosias. Idolâtre, assassiné par Jéhu. En butte aux attaques de Hazaël, roi d'Aram (Syrie).
841 Okosias, fils de Joram et d'Athalie. Bref règne.	842-814 Jéhu, sacré roi par Élisée. Massacre toute la descendance d'Achab. Fidèle à Dieu, tue les prêtres de Baal.
841-835 Athalie. *Ici se place l'action de la tragédie de Racine.*	
835-796 Joas. D'abord très pieux, laisse lapider Zacharie, fils de Joad. Son royaume est dévasté par Hazaël, le roi de Syrie.	814-798 Joachaz, fils de Jéhu.

Athalie

PRÉFACE D'*ATHALIE*

Tout le monde sait que le royaume de Juda était composé des deux tribus de Juda et de Benjamin, et que les dix autres tribus qui se révoltèrent contre Roboam composaient le royaume d'Israël. Comme les rois de Juda étaient de la maison de David, et qu'ils avaient dans leur partage la ville et le temple de Jérusalem, tout ce qu'il y avait de prêtres et de lévites se retirèrent auprès d'eux, et leur demeurèrent toujours attachés. Car depuis que le temple de Salomon fut bâti, il n'était plus permis de sacrifier ailleurs, et tous ces autres autels qu'on élevait à Dieu sur des montagnes, appelés par cette raison dans l'Écriture les hauts lieux, ne lui étaient point agréables. Ainsi le culte légitime ne subsistait plus que dans Juda. Les dix tribus, excepté un très petit nombre de personnes, étaient ou idolâtres ou schismatiques.

Au reste, ces prêtres et ces lévites faisaient eux-mêmes une tribu fort nombreuse. Ils furent partagés en diverses classes pour servir tour à tour dans le temple, et d'un jour de sabbat à l'autre. Les prêtres étaient de la famille d'Aaron, et il n'y avait que ceux de cette famille lesquels pussent exécuter la sacrificature. Les lévites leur étaient subordonnés et avaient soin, entre autres choses, du chant, de la préparation des victimes et de la garde du temple. Ce nom de lévite ne laisse pas d'être donné quelquefois indifféremment à tous ceux de la tribu. Ceux qui étaient en semaine avaient, ainsi que le grand prêtre, leur logement dans les portiques ou galeries dont le temple était environné, et qui faisaient partie du temple même. Tout l'édifice s'appelait en général le lieu saint. Mais on appelait plus particulièrement de ce nom cette partie du temple intérieur où étaient le chandelier d'or, l'autel des parfums et les tables des pains de proposition. Et cette partie était encore distinguée du Saint des Saints, où était l'arche, et où le grand prêtre seul avait droit d'entrer une fois l'année. C'était une tradition assez constante que la montagne sur laquelle le temple fut bâti était la même montagne où Abraham avait autrefois offert en sacrifice son fils Isaac.

J'ai cru devoir expliquer ici ces particularités, afin que ceux à qui l'histoire de l'Ancien Testament ne sera pas assez présente n'en soient point arrêtés en lisant cette tragédie. Elle a pour sujet Joas reconnu et mis sur le trône ; et j'aurais dû dans les règles l'intituler *Joas*. Mais la plupart du monde n'en ayant entendu parler que sous le nom d'*Athalie*, je n'ai pas jugé à propos de la leur présenter sous un autre titre, puisque d'ailleurs Athalie y joue un personnage si considérable, et que c'est sa mort qui termine la pièce. Voici une partie des principaux événements qui devancèrent cette grande action.

Joram, roi de Juda, fils de Josaphat, et le septième roi de la race de David, épousa Athalie, fille d'Achab et de Jézabel, qui régnaient en Israël, fameux l'un et l'autre, mais principalement Jézabel, par leurs sanglantes persécutions contre les prophètes. Athalie, non moins impie que sa mère, entraîna bientôt le roi son mari dans l'idolâtrie, et fit même construire dans Jérusalem un temple à Baal, qui était le dieu du pays de Tyr et de Sidon, où Jézabel avait pris naissance. Joram, après avoir vu périr par les mains des Arabes et des Philistins tous les princes ses enfants à la réserve d'Okosias, mourut lui-même misérablement d'une longue maladie qui lui consuma les entrailles. Sa mort funeste n'empêcha pas Okosias d'imiter son impiété et celle d'Athalie sa mère. Mais ce prince, après avoir

régné seulement un an, étant allé rendre visite au roi
d'Israël, frère d'Athalie, fut enveloppé dans la ruine
de la maison d'Achab et tué par l'ordre de Jéhu, que
Dieu avait fait sacrer par ses prophètes pour régner
sur Israël, et pour être le ministre de ses vengeances.
Jéhu extermina toute la postérité d'Achab, et fit jeter
par les fenêtres Jézabel qui, selon la prédiction d'Élie,
fut mangée des chiens dans la vigne de ce même
Naboth qu'elle avait fait mourir autrefois pour s'em-
parer de son héritage. Athalie, ayant appris à Jérusalem tous ces massacres, entreprit de son côté
d'éteindre entièrement la race royale de David, en faisant mourir tous les enfants d'Okosias, ses petits-fils.
Mais heureusement Josabet, sœur d'Okosias et fille
de Joram, mais d'une autre mère qu'Athalie, étant
arrivée lorsqu'on égorgeait les princes ses neveux, elle
trouva moyen de dérober du milieu des morts le petit
Joas, encore à la mamelle, et le confia avec sa nourrice
au grand prêtre son mari, qui les cacha tous deux
dans le temple, où l'enfant fut élevé secrètement jusqu'au jour qu'il fut proclamé roi de Juda. L'*Histoire
des Rois* dit que ce fut la septième année d'après. Mais
le texte grec des *Paralipomènes*, que Sévère Sulpice a
suivi, dit que ce fut la huitième. C'est ce qui m'a auto-
risé à donner à ce prince neuf à dix ans, pour le mettre
déjà en état de répondre aux questions qu'on lui fait.

Je crois ne lui avoir rien fait dire qui soit au-dessus
de la portée d'un enfant de cet âge qui a de l'esprit et
de la mémoire. Mais quand j'aurais été un peu au-
delà, il faut considérer que c'est ici un enfant tout
extraordinaire, élevé dans le temple par un grand
prêtre qui, le regardant comme l'unique espérance de
sa nation, l'avait instruit de bonne heure dans tous les
devoirs de la religion et de la royauté. Il n'en était pas
de même des enfants des Juifs que de la plupart des
nôtres. On leur apprenait les saintes Lettres, non seulement dès qu'ils avaient atteint l'usage de la raison,
mais, pour me servir de l'expression de saint Paul, dès
la mamelle. Chaque Juif était obligé d'écrire une fois

dans sa vie, de sa propre main, le volume de la Loi tout entier. Les rois étaient même obligés de l'écrire deux fois, et il leur était enjoint de l'avoir continuellement devant les yeux. Je puis dire ici que la France voit en la personne d'un prince de huit ans et demi, qui fait aujourd'hui ses plus chères délices, un exemple illustre de ce que peut dans un enfant un heureux naturel aidé d'une excellente éducation ; et que si j'avais donné au petit Joas la même vivacité et le même discernement qui brillent dans les reparties de ce jeune prince, on m'aurait accusé avec raison d'avoir péché contre les règles de la vraisemblance.

L'âge de Zacharie, fils du grand prêtre, n'étant point marqué, on peut lui supposer, si l'on veut, deux ou trois ans de plus qu'à Joas.

J'ai suivi l'explication de deux ou trois commentateurs fort habiles, qui prouvent, par le texte même de l'Écriture, que tous ces soldats à qui Joïada, ou Joad, comme il est appelé dans Josèphe, fit prendre les armes consacrées à Dieu par David, étaient autant de prêtres et de lévites, aussi bien que les cinq centeniers qui les commandaient. En effet, disent ces interprètes, tout devait être saint dans une si sainte action, et aucun profane n'y devait être employé. Il s'y agissait non seulement de conserver le sceptre dans la maison de David, mais encore de conserver à ce grand roi cette suite de descendants dont devait naître le Messie. *Car ce Messie, tant de fois promis comme fils d'Abraham, devait aussi être le fils de David et de tous les rois de Juda.* De là vient que l'illustre et savant prélat de qui j'ai emprunté ces paroles appelle Joas le précieux reste de la maison de David. Josèphe en parle dans les mêmes termes. Et l'Écriture dit expressément que Dieu n'extermina pas toute la famille de Joram, voulant conserver à David la lampe qu'il lui avait promise. Or cette lampe, qu'était-ce autre chose que la lumière qui devait être révélée un jour aux nations ?

L'histoire ne spécifie point le jour où Joas fut pro-

clamé. Quelques interprètes veulent que ce fût un
jour de fête. J'ai choisi celui de la Pentecôte, qui était
l'une des trois grandes fêtes des Juifs. On y célébrait
la mémoire de la publication de la loi sur le mont de
Sinaï, et on y offrait aussi à Dieu les pains de la nouvelle moisson, ce qui faisait qu'on la nommait encore
la fête des prémices. J'ai songé que ces circonstances
me fourniraient quelque variété pour les chants du
chœur.

Ce chœur est composé de jeunes filles de la tribu
de Lévi, et je mets à leur tête une fille que je donne
pour sœur à Zacharie. C'est elle qui introduit le
chœur chez sa mère. Elle chante avec lui, porte la
parole pour lui, et fait enfin les fonctions de ce personnage des anciens chœurs qu'on appelait le cory-
phée. J'ai aussi essayé d'imiter des anciens cette
continuité d'action qui fait que leur théâtre ne
demeure jamais vide, les intervalles des actes n'étant
marqués que par des hymnes et des moralités du
chœur, qui ont rapport à ce qui se passe.

On me trouvera peut-être un peu hardi d'avoir osé
mettre sur la scène un prophète inspiré de Dieu, et
qui prédit l'avenir. Mais j'ai eu la précaution de ne
mettre dans sa bouche que des expressions tirées des
prophètes mêmes. Quoique l'Écriture ne dise pas en
termes exprès que Joïada ait eu l'esprit de prophétie,
comme elle le dit de son fils, elle le représente comme
un esprit tout plein de l'esprit de Dieu. Et d'ailleurs
ne paraît-il pas par l'Évangile qu'il a pu prophétiser
en qualité de souverain pontife ? Je suppose donc
qu'il voit en esprit le funeste changement de Joas qui,
après trente années d'un règne fort pieux, s'abandonna aux mauvais conseils des flatteurs et se souilla
du meurtre de Zacharie, fils et successeur de ce grand
prêtre. Ce meurtre commis dans le temple fut une des
principales causes de la colère de Dieu contre les
Juifs, et de tous les malheurs qui leur arrivèrent dans
la suite. On prétend même que depuis ce jour-là les
réponses de Dieu cessèrent entièrement dans le sanc-

tuaire. C'est ce qui m'a donné lieu de faire prédire tout de suite à Joad et la destruction du temple et la ruine de Jérusalem. Mais comme les prophètes joignent d'ordinaire les consolations aux menaces, et que d'ailleurs il s'agit de mettre sur le trône un des ancêtres du Messie, j'ai pris occasion de faire entrevoir la venue de ce consolateur, après lequel tous les anciens justes soupiraient. Cette scène, qui est une espèce d'épisode, amène très naturellement la musique, par la coutume qu'avaient plusieurs prophètes d'entrer dans leurs saints transports au son des instruments. Témoin cette troupe de prophètes qui vinrent au devant de Saül avec des harpes et des lyres qu'on portait devant eux ; et témoin Élisée lui-même, qui, étant consulté sur l'avenir par le roi de Juda et le roi d'Israël, dit, comme fait ici Joad : *Adducite mihi psalte.* Ajoutez à cela que cette prophétie sert beaucoup à augmenter le trouble dans la pièce, par la consternation et les différents mouvements où elle jette le chœur et les principaux acteurs.

Personnages

JOAS, *roi de Juda, fils d'Okosias.*
ATHALIE, *veuve de Joram, aïeule de Joas.*
JOAD, *autrement* JOIADA, *grand prêtre.*
JOSABET, *tante de Joas, femme du grand prêtre.*
ZACHARIE, *fils de Joas et de Josabet.*
SALOMITH, *sœur de Zacharie.*
ABNER, *l'un des principaux officiers des rois de Juda.*
AZARIAS, ISMAËL, ET LES TROIS AUTRES CHEFS DES
   PRÊTRES ET DES LÉVITES.
MATHAN, *prêtre apostat, sacrificateur de Baal.*
NABAL, *confident de Mathan.*
AGAR, *femme de la suite d'Athalie.*
TROUPE DE PRÊTRES ET DE LÉVITES.
SUITE D'ATHALIE.
LA NOURRICE DE JOAS.
CHŒUR DE JEUNES FILLES DE LA TRIBU DE LÉVI.

*La scène est dans le temple de Jérusalem, dans un vesti-
bule de l'appartement du grand prêtre.*

ACTE PREMIER

Scène Première

JOAD, ABNER

ABNER

* Oui, je viens dans son temple adorer l'Éternel[1].
Je viens, selon l'usage antique et solennel,
Célébrer avec vous la fameuse journée,
Où sur le mont Sina[2] la loi nous fut donnée.
5 Que les temps sont changés ! Sitôt que de ce jour
La trompette sacrée[3] annonçait le retour,
Du temple orné partout de festons magnifiques,
Le peuple saint en foule inondait les portiques.
Et tous, devant l'autel avec ordre introduits,
10 De leurs champs dans leurs mains portant les nouveaux
[fruits,
Au Dieu de l'univers consacraient ces prémices[4].
Les prêtres ne pouvaient suffire aux sacrifices.
L'audace[5] d'une femme, arrêtant ce concours,
En des jours ténébreux a changé ces beaux jours.
15 D'adorateurs zélés à peine un petit nombre,

---

1. Les astérisques placés en début de vers signalent les emprunts directs à l'Écriture sainte. Voir notre *Index des vers bibliques*, p. 155.   **2.** « Sina », réduction justifiée par le compte syllabique (forme normale au vers 332).   **3.** D'abord corne de bouc ou de bélier (en hébreu, le *chofar*), puis instrument de métal, la trompette est sonnée par les lévites pour annoncer les fêtes religieuses.   **4.** La fête des prémices ou Pentecôte était une des trois grandes fêtes de l'année. On y célébrait l'alliance entre Dieu et son peuple en offrant les premiers fruits.   **5.** Le mot, signifiant, avec un sens péjoratif, un courage produisant une action extraordinaire, va bien à Athalie.

Ose des premiers temps nous retracer quelque ombre.
Le reste pour son Dieu montre un oubli fatal,
Ou même, s'empressant aux autels de Baal,
Se fait initier à ses honteux mystères[1],
20 Et blasphème le nom qu'ont invoqué leurs[2] pères.
Je tremble qu'Athalie, à ne vous rien cacher,
Vous-même de l'autel vous faisant arracher,
N'achève enfin sur vous ses vengeances[3] funestes,
Et d'un respect forcé ne dépouille les restes.

JOAD

25 D'où vous vient aujourd'hui ce noir pressentiment ?

ABNER

Pensez-vous être saint et juste impunément ?
Dès longtemps elle hait cette fermeté rare
Qui rehausse en Joad l'éclat de la tiare[4].
Dès longtemps votre amour pour la religion
30 Est traité de révolte et de sédition.
Du mérite éclatant cette reine jalouse
Hait surtout Josabet, votre fidèle épouse.
Si du grand prêtre Aaron Joad est successeur,
De notre dernier roi Josabet est la sœur.
35 Mathan, d'ailleurs, Mathan, ce prêtre sacrilège,
Plus méchant qu'Athalie, à toute heure l'assiège ;
Mathan, de nos autels infâme déserteur,
Et de toute vertu zélé persécuteur.
C'est peu que, le front ceint d'une mitre étrangère,
40 Ce lévite à Baal prête son ministère :
Ce temple l'importune, et son impiété
Voudrait anéantir le Dieu qu'il a quitté.
Pour vous perdre il n'est point de ressorts qu'il n'invente :

---

1. Pratiques orgiastiques dans les temples de Baal (prostitution sacrée).
2. Syllepse : l'accord en nombre se fait avec la pluralité suggérée au vers 17 par le substantif « le reste ». 3. Nom qu'on attendrait plutôt au singulier ; il peut se mettre au pluriel au XVIIᵉ siècle pour exprimer la répétition (des manifestations de vengeance). 4. La tiare est proprement la mitre avec un diadème d'or portée par le grand prêtre ; mais, en lecture ultramontaine, le mot prend un autre sens...

Quelquefois il vous plaint, souvent même il vous vante ;
45   Il affecte pour vous une fausse douceur,
Et par là de son fiel colorant la noirceur,
Tantôt à cette reine il vous peint redoutable,
Tantôt, voyant pour l'or sa soif insatiable,
Il lui feint qu'en un lieu que vous seul connaissez,
50   Vous cachez des trésors par David amassés.
Enfin depuis deux jours la superbe Athalie
Dans un sombre chagrin paraît ensevelie.
Je l'observais hier, et je voyais ses yeux
Lancer sur le lieu saint des regards furieux,
55   Comme si dans le fond de ce vaste édifice
Dieu cachait un vengeur armé pour son supplice.
Croyez-moi, plus j'y pense, et moins je puis douter
Que sur vous son courroux ne soit prêt d'éclater,
Et que de Jézabel la fille sanguinaire
60   Ne vienne attaquer Dieu jusqu'en son sanctuaire.

JOAD

* Celui qui met un frein à la fureur des flots
Sait aussi des méchants arrêter les complots.
Soumis avec respect à sa volonté sainte,
Je crains Dieu, cher Abner, et n'ai point d'autre crainte.
65   Cependant je rends grâce au zèle officieux
Qui sur tous mes périls vous fait ouvrir les yeux.
Je vois que l'injustice en secret vous irrite,
Que vous avez encor le cœur israélite.
Le ciel en soit béni. Mais ce secret courroux,
70   Cette oisive vertu, vous en contentez-vous ?
* La foi qui n'agit point, est-ce une foi sincère ?
Huit ans déjà passés, une impie étrangère
Du sceptre de David usurpe tous les droits,
Se baigne impunément dans le sang de nos rois,
75   Des enfants de son fils détestable [1] homicide,
Et même contre Dieu lève son bras perfide.
Et vous, l'un des soutiens de ce tremblant État,

---

1. L'adjectif, qui porte forte condamnation de la reine, signifie : « qu'on doit maudire avec force, en prenant les dieux à témoin » (latin *detestari*).

Vous, nourri dans les camps du saint roi Josaphat,
Qui sous son fils Joram commandiez nos armées,
80 Qui rassurâtes seul nos villes alarmées[1],
Lorsque d'Okosias le trépas imprévu
Dispersa tout son camp à l'aspect de Jéhu,
  * « Je crains Dieu, dites-vous, sa vérité me touche. »
Voici comme ce Dieu vous répond par ma bouche :
85 * « Du zèle de ma loi que sert de vous parer ?
Par de stériles vœux pensez-vous m'honorer ?
Quel fruit me revient-il de tous vos sacrifices ?
Ai-je besoin du sang des boucs et des génisses ?
Le sang de vos rois crie et n'est point écouté.
90 Rompez, rompez tout pacte avec l'impiété.
Du milieu de mon peuple exterminez les crimes,
Et vous viendrez alors m'immoler des victimes. »

ABNER

Hé ! que puis-je au milieu de ce peuple abattu ?
Benjamin est sans force, et Juda sans vertu.
95 Le jour qui de leurs rois vit éteindre la race
Éteignit tout le feu de leur antique audace.
  * « Dieu même, disent-ils, s'est retiré de nous :
  * De l'honneur des Hébreux autrefois si jaloux,
Il voit sans intérêt leur grandeur terrassée ;
100 Et sa miséricorde à la fin s'est lassée.
  * On ne voit plus pour nous ses redoutables mains
De merveilles[2] sans nombre effrayer les humains ;
  * L'arche sainte est muette et ne rend plus d'oracles. »

JOAD

Et quel temps fut jamais si fertile en miracles ?
105 Quand Dieu par plus d'effets montra-t-il son pouvoir ?
  * Auras-tu donc toujours des yeux pour ne point voir,
Peuple ingrat ? Quoi ? toujours les plus grandes
                                 [merveilles

---

1. Allusion juste : sous le règne de Joram, les Philistins ravagèrent la terre de Juda et envahirent même le palais royal. **2.** Choses prodigieuses, miracles, mais miracles qui font peur : image ambiguë du Dieu d'Israël (ou janséniste), à la fois aimant et vengeur.

Sans ébranler ton cœur frapperont tes oreilles ?
Faut-il, Abner, faut-il vous rappeler le cours
110 Des prodiges fameux accomplis en nos jours ?
Des tyrans d'Israël les célèbres disgrâces,
Et Dieu trouvé[1] fidèle en toutes ses menaces ;
L'impie Achab détruit, et de son sang trempé
Le champ que par le meurtre il avait usurpé[2] ;
115 Près de ce champ fatal Jézabel immolée,
Sous les pieds des chevaux cette reine foulée ;
Dans son sang inhumain les chiens désaltérés,
Et de son corps hideux les membres déchirés ;
Des prophètes menteurs la troupe confondue,
120 Et la flamme du ciel sur l'autel descendue[3] ;
Élie aux éléments parlant en souverain
Les cieux par lui fermés et devenus d'airain,
Et la terre trois ans sans pluie et sans rosée ;
Les morts[4] se ranimants[5] à la voix d'Élisée :
125 Reconnaissez, Abner, à ces traits éclatants,
  * Un Dieu tel aujourd'hui qu'il fut dans tous les temps.
Il sait, quand il lui plaît, faire éclater sa gloire,
  * Et son peuple est toujours présent à sa mémoire.

ABNER

  * Mais où sont ces honneurs à David tant promis,
130 Et prédits même encore à Salomon son fils ?
Hélas ! nous espérions que de leur race heureuse
Devait sortir de rois une suite nombreuse ;

---

1. Latinisme : construction participiale, qui concrétise davantage l'action exprimée par le verbe, au lieu de la construction nominale. Autres exemples aux vers 113-124.   **2.** Roi d'Israël et père d'Athalie, Achab qui édifia un temple de Baal à Samarie s'appropria injustement le champ appartenant à un homme nommé Naboth. Il fut tué près de ce champ et les chiens burent son sang.   **3.** Élie défia 850 prêtres de Baal d'obtenir de leur dieu qu'il enflamme leur autel. Rien ne se produisit, alors que Dieu embrasait l'autel d'Élie (Rois, III, XVIII).   **4.** Hyperbole qui fait d'Élie le prédécesseur du Christ. En fait, il ne ressuscita que le fils de la Sunnamite (Rois, IV, IV, 18-36).   **5.** Contrairement à R. Picard, dans son édition de la « Bibliothèque de la Pléiade », on a maintenu ici la forme « se ranimans » (modernisée par ajout du *t*) des éditions de 1691, 1692 et 1697. Elle est en effet tout à fait conforme à la syntaxe du temps, qui continue d'accorder le participe présent en nombre (comme l'adjectif verbal).

* Que sur toute tribu, sur toute nation,
  L'un d'eux établirait sa domination,
135 Ferait cesser partout la discorde et la guerre,
  Et verrait à ses pieds tous les rois de la terre.

JOAD

Aux promesses du ciel pourquoi renoncez-vous ?

ABNER

Ce roi fils de David, où le chercherons-nous ?
  Le ciel même peut-il réparer les ruines
140 * De cet arbre séché jusque dans ses racines ?
  Athalie étouffa l'enfant même au berceau.
  Les morts, après huit ans, sortent-ils du tombeau ?
  Ah ! si dans sa fureur elle s'était trompée,
  Si du sang de nos rois quelque goutte échappée...

JOAD

145 Hé bien ! que feriez-vous ?

ABNER

                              Ô jour heureux pour moi !
  De quelle ardeur j'irais reconnaître mon roi !
  Doutez-vous qu'à ses pieds nos tribus empressées...
  Mais pourquoi me flatter de ces vaines pensées[1] ?
  Déplorable héritier de ces rois triomphants,
150 Okosias restait seul avec ses enfants.
  Par les traits de Jéhu je vis percer le père,
  Vous avez vu les fils massacrés par la mère.

JOAD

Je ne m'explique point. Mais quand l'astre du jour
  Aura sur l'horizon fait le tiers de son tour,
155 Lorsque la troisième heure aux prières rappelle,
  Retrouvez-vous au temple avec ce même zèle.

---

1. De « vaines pensées » sont ici des pensées vides, sans consistance. En effet, en croyant Joas mort, Abner est sans espoir aucun.

Dieu pourra vous montrer par d'importants bienfaits
* Que sa parole est stable et ne trompe jamais.
Allez : pour ce grand jour il faut que je m'apprête,
160   Et du temple déjà l'aube blanchit le faîte.

ABNER

Quel sera ce bienfait que je ne comprends pas ?
L'illustre Josabet [1] porte vers vous ses pas.
Je sors, et vais me joindre à la troupe fidèle
Qu'attire de ce jour la pompe solennelle.

Scène 2

JOAD, JOSABET

JOAD

165 * Les temps sont accomplis, Princesse, il faut parler,
Et votre heureux larcin ne se peut plus celer.
Des ennemis de Dieu la coupable insolence,
Abusant contre lui de ce profond silence,
Accuse trop longtemps ses promesses d'erreur.
170   Que dis-je ? Le succès animant leur fureur,
Jusque sur l'autel votre injuste marâtre
Veut offrir à Baal un encens idolâtre.
* Montrons ce jeune roi que vos mains ont sauvé,
* Sous l'aile du Seigneur dans le temple élevé.
175   De nos princes hébreux il aura le courage,
Et déjà son esprit a devancé son âge.
Avant que son destin s'explique par ma voix,
* Je vais l'offrir au Dieu par qui règnent les rois.
Aussitôt assemblant nos lévites, nos prêtres [2],
180   Je leur déclarerai l'héritier de leurs maîtres.

---

1. Josabet est « illustre », lumineuse, pour Abner, et sa venue, qui coïncide
avec l'aube sur le toit du temple (vers 160), contraste avec la « noirceur »
de Mathan et les « jours ténébreux » d'Athalie (vers 46 et 14).   2. Depuis
qu'ils ont refusé d'adorer le veau d'or, les descendants de Lévi, un des douze
fils de Jacob, forment la caste vouée au service du temple. Mais tout lévite
n'était pas prêtre (il y avait par exemple les simples assistants).

JOSABET

Sait-il déjà son nom et son noble destin ?

JOAD

Il ne répond encor qu'au nom d'Éliacin,
Et se croit quelque enfant rejeté par sa mère,
À qui j'ai par pitié daigné servir de père.

JOSABET

185 Hélas ! de quel péril je l'avais su tirer !
Dans quel péril encore est-il prêt de rentrer !

JOAD

Quoi ? déjà votre foi s'affaiblit et s'étonne ?

JOSABET

À vos sages conseils, Seigneur, je m'abandonne.
Du jour que j'arrachai cet enfant à la mort,
190 Je remis en vos mains tout le soin de son sort.
Même, de mon amour craignant la violence,
Autant que je le puis j'évite sa présence,
De peur qu'en le voyant[1], quelque trouble indiscret
Ne fasse avec mes pleurs échapper mon secret.
195 Surtout j'ai cru devoir aux larmes, aux prières
Consacrer ces trois jours et ces trois nuits entières[2].
Cependant aujourd'hui puis-je vous demander
Quels amis vous avez prêts à vous seconder ?
Abner, le brave Abner viendra-t-il nous défendre ?
200 A-t-il près de son roi fait serment de se rendre ?

---

1. Anacoluthe admise du temps de Racine, où le gérondif — ici, « en [le] voyant » — peut renvoyer à un mot non exprimé mais représenté par un adjectif possessif (ici le « mes » du vers 194, qui désigne Josabet).   2. Retraite qui a l'air chrétienne, mais qui rappelle aussi les trois jours de jeûne et de prière d'Esther, avant sa rencontre avec Assuérus (*Esther*, IV, 16).

JOAD

Abner, quoiqu'on se pût assurer[1] sur sa foi,
Ne sait pas même encor si nous avons un roi.

JOSABET

Mais à qui de Joas confiez-vous la garde ?
Est-ce Obed, est-ce Amnon[2] que cet honneur regarde ?
205 De mon père sur eux les bienfaits répandus...

JOAD

À l'injuste Athalie ils se sont tous vendus.

JOSABET

Qui donc opposez-vous contre ses satellites ?

JOAD

Ne vous l'ai-je pas dit ? Nos prêtres, nos lévites.

JOSABET

Je sais que près de vous en secret assemblé,
210 Par vos soins prévoyants leur nombre est redoublé ;
Que pleins d'amour pour vous, d'horreur pour Athalie,
Un serment solennel par avance les lie
À ce fils de David qu'on leur doit révéler.
Mais, quelque noble ardeur dont[3] ils puissent brûler,
215 Peuvent-ils de leur roi venger seuls la querelle ?
Pour un si grand ouvrage, est-ce assez de leur zèle ?
Doutez-vous qu'Athalie, au premier bruit semé
Qu'un fils d'Okosias est ici renfermé,
De ses fiers étrangers assemblant les cohortes,
220 N'environne le temple et n'en brise les portes ?

---

1. L'imparfait du subjonctif est ici justifié parce qu'il exprime l'éventualité : c'est le *subjonctif du conditionnel* (Joad dit en substance : « On pourrait avoir confiance dans sa fidélité, mais il ne sait pas encore que nous avons un roi »). On trouve la même construction au vers 1075.   2. Obed signifie « serviteur » en hébreu, et Amnon, « fidèle ».   3. Contrairement à ce que demande Vaugelas, Racine emploie encore le pronom relatif « dont » au sens de « avec laquelle » (même type dans son *Mithridate* : « Ni l'ardeur dont tu sais que je l'ai redouté »). On mettrait maintenant : « De quelque ardeur qu'ils puissent brûler ».

Suffira-t-il contre eux de vos ministres saints
Qui, levant au Seigneur leurs innocentes mains,
Ne savent que gémir et prier pour nos crimes,
Et n'ont jamais versé que le sang des victimes ?
225 Peut-être dans leurs bras Joas percé de coups...

JOAD

* Et comptez-vous pour rien Dieu qui combat pour
                                             [nous ?
* Dieu, qui de l'orphelin protège l'innocence,
* Et fait dans la faiblesse éclater sa puissance ;
Dieu, qui hait les tyrans et qui, dans Jezraël,
230 Jura d'exterminer Achab et Jézabel ;
Dieu, qui frappant Joram[1], le mari de leur fille,
A jusque sur son fils poursuivi leur famille ;
* Dieu, dont le bras vengeur, pour un temps suspendu,
Sur cette race impie est toujours étendu.

JOSABET

235 Et c'est sur tous ces rois sa justice sévère
Que je crains pour le fils de mon malheureux frère.
Qui sait si cet enfant, par leur crime entraîné,
Avec eux en naissant ne fut pas condamné ?
Si Dieu, le séparant d'une odieuse race,
240 En faveur de David voudra lui faire grâce ?
    Hélas ! l'état horrible où le ciel me l'offrit
Revient à tout moment effrayer mon esprit.
De princes égorgés la chambre était remplie.
Un poignard à la main, l'implacable Athalie
245 Au carnage animait ses barbares soldats,
Et poursuivait le cours de ses assassinats.
Joas laissé pour mort frappa soudain ma vue.
Je me figure encor sa nourrice éperdue[2],
Qui devant les bourreaux s'était jetée en vain,
250 Et faible le tenait renversé sur son sein.

---

1. Maudit par Élie, Joram, mari idolâtre d'Athalie, mourut d'une maladie des entrailles qui le tint au lit deux ans.   2. Personnage mentionné dans Rois, IV, XI, 3, et dans les Paralipomènes, II, XXII, 11. Il ajoute au pathétique voulu de cette scène qui dut émouvoir les jeunes filles de Saint-Cyr...

Je le pris tout sanglant. En baignant son visage,
Mes pleurs du sentiment lui rendirent l'usage ;
Et soit frayeur encore, ou pour me caresser,
De ses bras innocents je me sentis presser.
255 Grand Dieu, que mon amour ne lui soit point funeste !
Du fidèle David c'est le précieux reste.
Nourri dans ta maison, en l'amour de ta loi,
Il ne connaît encor d'autre père que toi.
Sur le point d'attaquer une reine homicide,
260 À l'aspect du péril si ma foi s'intimide,
   * Si la chair et le sang, se troublant aujourd'hui,
Ont trop de part aux pleurs que je répands pour lui,
Conserve l'héritier de tes saintes promesses,
Et ne punis que moi de toutes mes faiblesses.

JOAD

265 Vos larmes, Josabet, n'ont rien de criminel.
Mais Dieu veut qu'on espère en son soin paternel.
   * Il ne recherche point, aveugle en sa colère,
Sur le fils qui le craint l'impiété du père.
Tout ce qui reste encor de fidèles Hébreux
270 Lui viendront [1] aujourd'hui renouveler leurs vœux.
Autant que [2] de David la race est respectée,
Autant de Jézabel la fille est détestée.
Joas les touchera par sa noble pudeur,
Où semble de son sang reluire la splendeur ;
275 Et Dieu, par sa voix même appuyant notre exemple,
De plus près à leur cœur parlera dans son temple.
Deux infidèles rois tour à tour l'ont bravé :
Il faut que sur le trône un roi soit élevé,
Qui se souvienne un jour qu'au rang de ses ancêtres
280 Dieu l'a fait remonter par la main de ses prêtres,
   * L'a tiré par leur main de l'oubli du tombeau,
   * Et de David éteint rallumé le flambeau.
Grand Dieu, si tu prévois qu'indigne de sa race,

---

1. Accord du verbe avec la pluralité suggérée dans « Tout ce qui reste encor de fidèles Hébreux » (d'où aussi l'emploi de « leurs »).   **2.** Pour « Autant [...] autant [...] ». Cette construction avec « que » est fréquente jusqu'à la fin du XVIIIᵉ siècle (même emploi aux vers 939-941).

Il doive de David abandonner la trace,
285 Qu'il soit comme le fruit en naissant arraché,
  * Ou qu'un souffle ennemi dans sa fleur a séché.
Mais si ce même enfant, à tes ordres docile,
Doit être à tes desseins un instrument utile,
Fais qu'au juste héritier le sceptre soit remis ;
290 Livre en mes faibles mains ses puissants ennemis ;
  * Confonds dans ses conseils une reine cruelle.
Daigne, daigne, mon Dieu, sur Mathan et sur elle
Répandre cet esprit d'imprudence et d'erreur,
De la chute des rois funeste avant-coureur.
295   L'heure me presse. Adieu. Des plus saintes familles
Votre fils et sa sœur vous amènent les filles.

Scène 3

JOSABET, ZACHARIE, SALOMITH, LE CHŒUR

JOSABET

Cher Zacharie, allez, ne vous arrêtez pas,
De votre auguste père accompagnez les pas.
Ô filles de Lévi, troupe jeune et fidèle,
300 Que déjà le Seigneur embrase de son zèle,
Qui venez si souvent partager mes soupirs,
Enfants, ma seule joie en mes longs déplaisirs,
Ces festons dans vos mains, et ces fleurs sur vos têtes,
Autrefois convenaient à nos pompeuses fêtes.
305 Mais, hélas ! en ce temps d'opprobre et de douleurs,
Quelle offrande sied mieux que celle de nos pleurs ?
J'entends déjà, j'entends la trompette sacrée,
Et du temple bientôt on permettra l'entrée.
Tandis que je me vais préparer à marcher,
310 * Chantez, louez le Dieu que vous venez chercher[1].

---

1. « Chercher » a ici son sens biblique et signifie : « adorer Dieu ».

Scène 4

LE CHŒUR

TOUT LE CHŒUR *chante*.
* Tout l'univers est plein de sa magnificence.
Qu'on adore ce Dieu, qu'on l'invoque à jamais.
Son empire a des temps précédé la naissance.
Chantons, publions ses bienfaits[1].

UNE VOIX, *seule*.
315   En vain l'injuste violence
Au peuple qui le loue imposerait silence :
Son nom ne périra jamais.
Le jour annonce au jour sa gloire et sa puissance.
Tout l'univers est plein de sa magnificence.
320   Chantons, publions ses bienfaits.

TOUT LE CHŒUR *répète*.
Tout l'univers est plein de sa magnificence.
Chantons, publions ses bienfaits.

UNE VOIX, *seule*.
Il donne aux fleurs leur aimable peinture.
Il fait naître et mûrir les fruits.
325   Il leur dispense avec mesure
Et la chaleur des jours et la fraîcheur des nuits.
Le champ qui les reçut les rend avec usure.

UNE AUTRE
* Il commande au soleil d'animer la nature,
Et la lumière est un don de ses mains.
330   Mais sa loi sainte, sa loi pure
Est le plus riche don qu'il ait fait aux humains.

---

1. Le chant final du chœur, jamais détaché de l'action (voir la préface de Racine), *complète* le discours des personnages principaux : ici, en célébrant l'autre image de Dieu, celle du Dieu qui aime son peuple (Dieu de la création, vers 311-329 ; Dieu du Décalogue et de la Terre promise, vers 330-359).

UNE AUTRE

Ô mont de Sinaï, conserve la mémoire
De ce jour à jamais auguste et renommé,
    Quand, sur ton sommet enflammé,
335 Dans un nuage épais le Seigneur enfermé
Fit luire aux yeux mortels un rayon de sa gloire.
    Dis-nous pourquoi ces feux et ces éclairs,
Ces torrents de fumée, et ce bruit dans les airs,
    Ces trompettes et ce tonnerre ?
340 Venait-il renverser l'ordre des éléments ?
*   Sur ses antiques fondements
    Venait-il ébranler la terre ?

UNE AUTRE

Il venait révéler aux enfants des Hébreux
De ses préceptes saints la lumière immortelle.
345   Il venait à ce peuple heureux
* Ordonner de l'aimer d'une amour [1] éternelle.

TOUT LE CHŒUR

Ô divine, ô charmante loi !
Ô justice ! ô bonté suprême !
Que de raisons, quelle douceur extrême
350 D'engager à ce Dieu son amour et sa foi !

UNE VOIX, *seule.*

D'un joug cruel il sauva nos aïeux,
Les nourrit au désert d'un pain délicieux.
* Il nous donne ses lois, il se donne lui-même.
    Pour tant de biens, il commande qu'on l'aime.

LE CHŒUR

355   Ô justice ! ô bonté suprême !

---

1. Le mot est tantôt masculin, tantôt féminin au xviie siècle.

LA MÊME VOIX
Des mers pour eux il entrouvrit les eaux,
D'un aride rocher fit sortir des ruisseaux[1].
Il nous donne ses lois, il se donne lui-même
        Pour tant de biens, il commande qu'on l'aime.

LE CHŒUR
360   Ô divine, ô charmante loi !
Que de raisons, quelle douceur extrême
D'engager à ce Dieu son amour et sa foi !

UNE AUTRE, *seule.*
Vous qui ne connaissez qu'une crainte servile,
Ingrats, un Dieu si bon ne peut-il vous charmer ?
365 Est-il donc à vos cœurs, est-il si difficile
        Et si pénible de l'aimer ?
        L'esclave craint le tyran qui l'outrage :
        Mais des enfants l'amour est le partage.
Vous voulez que ce Dieu vous comble de bienfaits,
370   Et ne l'aimer jamais ?

TOUT LE CHŒUR
Ô divine, ô charmante loi !
Ô justice ! ô bonté suprême !
Que de raisons, quelle douceur extrême
D'engager à ce Dieu son amour et sa foi !

---

1. Évocation du passage de la mer Rouge et du miracle de l'eau jaillie du rocher d'Horeb.

ACTE II

Scène Première

JOSABET, SALOMITH, LE CHŒUR

JOSABET

375 Mes filles, c'est assez ; suspendez vos cantiques.
Il est temps de nous joindre aux prières publiques.
Voici notre heure. Allons célébrer ce grand jour,
Et devant le Seigneur paraître à notre tour.

Scène 2

JOSABET, ZACHARIE, SALOMITH, LE CHŒUR

JOSABET

Mais que vois-je ? Mon fils, quel sujet vous ramène ?
380 Où courez-vous ainsi tout pâle et hors d'haleine ?

ZACHARIE

Ô ma mère !

JOSABET

Hé bien, quoi ?

ZACHARIE

Le temple est profané.

JOSABET

Comment ?

ZACHARIE

Et du Seigneur l'autel abandonné.

JOSABET

Je tremble. Hâtez-vous d'éclaircir votre mère.

ZACHARIE

Déjà, selon la loi, le grand prêtre mon père,
385 Après avoir au Dieu qui nourrit les humains
De la moisson nouvelle offert les premiers pains,
Lui présentait encore entre ses mains sanglantes
Des victimes de paix[1] les entrailles fumantes.
Debout à ses côtés le jeune Éliacin
390 Comme moi le servait en long habit de lin ;
Et cependant, du sang de la chair immolée,
Les prêtres arrosaient l'autel et l'assemblée[2].
Un bruit confus s'élève, et du peuple surpris
Détourne tout à coup les yeux et les esprits.
395 Une femme... Peut-on la nommer sans blasphème[3] ?
Une femme... C'était Athalie elle-même.

JOSABET

Ciel !

ZACHARIE

Dans un des parvis aux hommes réservé
Cette femme superbe entre, le front levé,

---

1. Ces victimes sont offertes pour obtenir une grâce, par opposition aux victimes d'expiation.   2. Erreur de Racine, car c'est le geste — unique — de Moïse scellant l'alliance entre Dieu et son peuple (Exode, XXIV, 8). L'Académie, dans ses *Sentiments* [...] sur la pièce, remarqua que le prêtre trempait seulement son doigt dans le sang et faisait sept aspersions devant le sanctuaire. Autre erreur : en fait, en ce jour de Pentecôte, l'officiant faisait le sacrifice d'oblation et répandait le sang devant l'autel.   3. On taisait chez les Hébreux le nom des idolâtres et des blasphémateurs (depuis le Lévitique, XXIV, 10-14, où le nom d'un blasphémateur mis à mort n'est pas mentionné, alors qu'on donne celui de sa mère).

Et se préparait même à passer les limites
400   De l'enceinte sacrée ouverte aux seuls lévites.
Le peuple s'épouvante et fuit de toutes parts.
Mon père... Ah ! quel courroux animait ses regards !
Moïse à Pharaon[1] parut moins formidable.
« Reine, sors, a-t-il dit, de ce lieu redoutable,
405   D'où te bannit ton sexe et ton impiété.
   * Viens-tu du Dieu vivant braver la majesté ? »
La reine alors, sur lui jetant un œil farouche,
Pour blasphémer sans doute ouvrait déjà la bouche.
J'ignore si de Dieu l'ange se dévoilant
410   Est venu lui montrer un glaive étincelant ;
Mais sa langue en sa bouche à l'instant s'est glacée,
Et toute son audace a paru terrassée.
Ses yeux, comme effrayés, n'osaient se détourner.
Surtout Éliacin paraissait l'étonner.

JOSABET

415   Quoi donc ? Éliacin a paru devant elle ?

ZACHARIE

Nous regardions tous deux cette reine cruelle,
Et d'une égale horreur nos cœurs étaient frappés.
Mais les prêtres bientôt nous ont enveloppés.
On nous a fait sortir. J'ignore tout le reste,
420   Et venais vous conter ce désordre funeste.

JOSABET

Ah ! de nos bras sans doute elle vient l'arracher,
Et c'est lui qu'à l'autel sa fureur vient chercher.
Peut-être en ce moment l'objet de tant de larmes...
   * Souviens-toi de David, Dieu qui vois mes alarmes.

---

1. Guidé par Dieu, Moïse annonça au pharaon les terribles plaies d'Égypte
(Exode, VII-XI).

SALOMITH

425 Quel est-il, cet objet des pleurs que vous versez[1] ?

ZACHARIE

Les jours d'Éliacin seraient-ils menacés ?

SALOMITH

Aurait-il de la Reine attiré la colère ?

ZACHARIE

Que craint-on d'un enfant sans support et sans père ?

JOSABET

Ah ! la voici. Sortons. Il la faut éviter.

Scène 3

ATHALIE, ABNER, AGAR, SUITE D'ATHALIE

AGAR[2]

430 Madame, dans ces lieux pourquoi vous arrêter ?
Ici tous les objets vous blessent, vous irritent.
Abandonnez ce temple aux prêtres qui l'habitent ;
Fuyez tout ce tumulte, et dans votre palais
À vos sens agités venez rendre la paix.

ATHALIE

435 Non, je ne puis : tu vois mon trouble et ma faiblesse.
Va, fais dire à Mathan qu'il vienne, qu'il se presse.

---

1. Salomith (Salomé qui dansa devant Hérode ?) « porte [prend] la parole pour » le chœur (préface), et son intervention dans le dialogue marque bien qu'elle participe étroitement à l'action. 2. La suivante d'Athalie porte le nom de la concubine d'Abraham, que Sarah chasse dans le désert, et dont le fils Ismaël est exclu de l'héritage de son père (Genèse, XXI, 14). Porte-t-elle ce nom parce que sa maîtresse est également exclue du peuple des vrais croyants ? C'est vraisemblable.

Heureuse si je puis trouver par son secours
Cette paix que je cherche et qui me fuit toujours.

(*Elle s'assied.*)

Scène 4

ATHALIE, ABNER, SUITE D'ATHALIE

ABNER

Madame, pardonnez si j'ose le[1] défendre.
440 Le zèle de Joad n'a point dû vous surprendre.
Du Dieu que nous servons tel est l'ordre éternel.
Lui-même, il nous traça son temple et son autel,
Aux seuls enfants d'Aaron commit ses sacrifices,
Aux lévites marqua leur place et leurs offices,
445 Et surtout défendit à leur postérité,
Avec tout autre dieu toute société.
Hé quoi ? vous de nos rois et la femme et la mère,
Êtes-vous à ce point parmi nous étrangère ?
Ignorez-vous nos lois ? Et faut-il qu'aujourd'hui...
450 Voici votre Mathan[2], je vous laisse avec lui.

ATHALIE

Votre présence, Abner, est ici nécessaire.
Laissons là de Joad l'audace téméraire,
Et tout ce vain amas de superstitions
Qui ferment votre temple aux autres nations.
455 Un sujet plus pressant excite mes alarmes.
Je sais que dès l'enfance élevé dans les armes,
  * Abner a le cœur noble, et qu'il rend à la fois
Ce qu'il doit à son Dieu, ce qu'il doit à ses rois.
Demeurez.

---

1. « Le », pronom personnel, renvoie à Joad.   2. Dans ce vers, qui vaut indication scénique (entrée d'un nouveau personnage), le « votre » marque également d'emblée l'hostilité entre Abner, fidèle à Dieu, et Mathan l'impie.

Scène 5

MATHAN, ATHALIE, ABNER, SUITE D'ATHALIE

MATHAN

Grande Reine, est-ce ici votre place ?
460 Quel trouble vous agite, et quel effroi vous glace ?
Parmi vos ennemis que venez-vous chercher ?
De ce temple profane osez-vous approcher ?
Avez-vous dépouillé cette haine si vive...

ATHALIE

Prêtez-moi l'un et l'autre une oreille attentive.
465 Je ne veux point ici rappeler le passé,
Ni vous rendre raison du sang que j'ai versé.
Ce que j'ai fait, Abner, j'ai cru le devoir faire.
Je ne prends point pour juge un peuple téméraire.
Quoi que son insolence ait osé publier,
470 Le ciel même a pris soin de me justifier.
Sur d'éclatants succès ma puissance établie
A fait jusqu'aux deux mers respecter Athalie.
Par moi Jérusalem goûte un calme profond.
Le Jourdain ne voit plus l'Arabe vagabond,
475 Ni l'altier Philistin, par d'éternels ravages,
Comme au temps de vos rois, désoler ses rivages ;
Le Syrien[1] me traite et de reine et de sœur.
Enfin de ma maison le perfide oppresseur,
Qui devait jusqu'à moi pousser sa barbarie,
480 Jéhu, le fier Jéhu, tremble dans Samarie.
De toutes parts pressé par un puissant voisin,
Que j'ai su soulever contre cet assassin[2],
Il me laisse en ces lieux souveraine maîtresse.
Je jouissais en paix du fruit de ma sagesse.
485 Mais un trouble importun vient depuis quelques jours

---

1. Il s'agit de Hazaël (844-797 av. J.-C.) qui, effectivement, n'attaquera le royaume de Juda que sous le règne de Joas. 2. Jéhu, qui avait déjà fait assassiner Jézabel, tua Okosias, roi d'Israël et frère d'Athalie. Il tua également les membres de la cour. Le mot « assassin » est celui-là même qu'employa Jézabel à l'adresse de Jéhu quand elle le vit venir du haut de son balcon (Rois, III, XVI, 15).

De mes prospérités interrompre le cours.
Un songe (me devrais-je inquiéter d'un songe ?)
Entretient dans mon cœur un chagrin qui le ronge.
Je l'évite partout, partout il me poursuit.
490   C'était pendant l'horreur d'une profonde nuit.
Ma mère Jézabel devant moi s'est montrée,
Comme au jour de sa mort pompeusement parée[1].
Ses malheurs n'avaient point abattu sa fierté.
Même elle avait encor cet éclat emprunté
495   Dont elle eut soin de peindre et d'orner son visage,
Pour réparer des ans l'irréparable outrage.
« Tremble, m'a-t-elle dit, fille digne de moi.
Le cruel Dieu des Juifs l'emporte aussi sur toi.
Je te plains de tomber dans ses mains redoutables,
500   Ma fille. » En achevant ces mots épouvantables,
Son ombre vers mon lit a paru se baisser ;
Et moi, je lui tendais les mains pour l'embrasser.
Mais je n'ai plus trouvé qu'un horrible mélange
D'os et de chairs meurtris, et traînés dans la fange,
505   Des lambeaux pleins de sang, et des membres affreux
Que des chiens dévorants se disputaient entre eux.

ABNER

Grand Dieu !

ATHALIE
                    Dans ce désordre à mes yeux se présente
Un jeune enfant couvert d'une robe éclatante,
Tels[2] qu'on voit des Hébreux les prêtres revêtus.
510   Sa vue a ranimé mes esprits abattus.
Mais lorsque revenant de mon trouble funeste,
J'admirais sa douceur, son air noble et modeste,
J'ai senti tout à coup un homicide acier,
Que le traître en mon sein a plongé tout entier.

---

1. Ce début du célèbre passage sur le songe d'Athalie s'inspire d'un passage des Rois, IV, IX, 30 : « [...] et Jézabel [...] se para les yeux avec du fard, mit ses ornements sur sa tête ».   2. Latinisme, où « tel » s'accorde avec « prêtres », alors que Racine aurait dû écrire « Tel qu'on voit » ou « Tels on voit ».

515 De tant d'objets divers le bizarre assemblage
     Peut-être du hasard vous paraît un ouvrage.
     Moi-même, quelque temps honteuse de ma peur,
     Je l'ai pris pour l'effet d'une sombre vapeur.
     Mais de ce souvenir mon âme possédée
520 A deux fois en dormant revu la même idée :
     Deux fois mes tristes yeux se sont vu retracer
     Ce même enfant toujours tout prêt à me percer.
     Lasse enfin des horreurs dont j'étais poursuivie,
     J'allais prier Baal de veiller sur ma vie,
525 Et chercher du repos au pied de ses autels.
     Que ne peut la frayeur sur l'esprit des mortels ?
     Dans le temple des Juifs un instinct m'a poussée,
     Et d'apaiser leur Dieu j'ai conçu la pensée ;
     J'ai cru que des présents calmeraient son courroux,
530 Que ce Dieu, quel qu'il soit, en deviendrait plus doux.
     Pontife de Baal, excusez ma faiblesse.
     J'entre. Le peuple fuit ; le sacrifice cesse.
     Le grand prêtre vers moi s'avance avec fureur.
     Pendant qu'il me parlait, ô surprise ! ô terreur !
535 J'ai vu ce même enfant dont je suis menacée,
     Tel qu'un songe effrayant l'a peint à ma pensée.
     Je l'ai vu : son même air, son même habit de lin,
     Sa démarche, ses yeux, et tous ses traits enfin.
     C'est lui-même. Il marchait à côté du grand prêtre,
540 Mais bientôt à ma vue on l'a fait disparaître.
     Voilà quel trouble ici m'oblige à m'arrêter,
     Et sur quoi j'ai voulu tous deux vous consulter.
        Que présage, Mathan, ce prodige incroyable ?

                          MATHAN

     Ce songe et ce rapport, tout me semble effroyable.

                          ATHALIE

545 Mais cet enfant fatal[1], Abner, vous l'avez vu :
     Quel est-il ? De quel sang ? Et de quelle tribu ?

---

1. Pressentiment fondé d'Athalie : « fatal » a ici le sens de « voulu par le destin » et, plus justement, par Dieu.

ABNER

Deux enfants à l'autel prêtaient leur ministère.
L'un est fils de Joad, Josabet est sa mère.
L'autre m'est inconnu.

MATHAN

                    Pourquoi délibérer ?
550 De tous les deux, Madame, il se faut assurer.
Vous savez pour Joad mes égards, mes mesures ;
Que je ne cherche point[1] à venger mes injures,
Que la seule équité règne en tous mes avis.
Mais lui-même, après tout, fût-ce son propre fils,
555 Voudrait-il un moment laisser vivre un coupable ?

ABNER

De quel crime un enfant peut-il être capable ?

MATHAN

Le ciel nous le fait voir un poignard à la main :
Le ciel est juste et sage et ne fait rien en vain.
Que cherchez-vous de plus ?

ABNER

                              Mais, sur la foi d'un songe,
560 Dans le sang d'un enfant voulez-vous qu'on se plonge ?
Vous ne savez encor de quel père il est né,
Quel il est.

MATHAN

            On le craint, tout est examiné.
À d'illustres parents s'il doit son origine,
La splendeur de son sort doit hâter sa ruine.
565 Dans le vulgaire obscur si le sort l'a placé,
Qu'importe qu'au hasard un sang vil soit versé ?
Est-ce aux rois à garder cette lente justice ?
Leur sûreté souvent dépend d'un prompt supplice.

―――――――――――

1. Dans la syntaxe du temps, un verbe principal (ici, « vous savez ») peut
avoir deux compléments de nature différente (ici, un substantif et une proposition complétive). Même construction au vers 1614.

N'allons point les gêner d'un soin embarrassant.
570 Dès qu'on leur est suspect, on n'est plus innocent.

ABNER

Hé quoi, Mathan ? D'un prêtre est-ce là le langage ?
Moi, nourri dans la guerre aux horreurs du carnage,
Des vengeances des rois ministre rigoureux,
C'est moi qui prête ici ma voix aux malheureux.
575 Et vous, qui lui devez des entrailles de père,
Vous, ministre de paix[1] dans les temps de colère,
Couvrant d'un zèle faux votre ressentiment,
Le sang à votre gré coule trop lentement[2] ?
    Vous m'avez commandé de vous parler sans feinte,
580 Madame : quel est donc ce grand sujet de crainte ?
Un songe, un faible enfant que votre œil prévenu
Peut-être sans raison croit avoir reconnu.

ATHALIE

Je le veux croire, Abner. Je puis m'être trompée.
Peut-être un songe vain m'a trop préoccupée.
585 Hé bien ! il faut revoir cet enfant de plus près ;
Il en faut à loisir examiner les traits.
Qu'on les fasse tous deux paraître en ma présence.

ABNER

Je crains...

ATHALIE

              Manquerait-on pour moi de complaisance ?
De ce refus bizarre où seraient les raisons ?
590 Il pourrait me jeter en d'étranges soupçons.
Que Josabet, vous dis-je, ou Joad les amène :
Je puis, quand je voudrai, parler en souveraine.
Vos prêtres, je veux bien, Abner, vous l'avouer,
Des bontés d'Athalie ont lieu de se louer.
595 Je sais sur ma conduite et contre ma puissance

---

1. Génitif hébraïque.   2. Vers 575-578 : anacoluthe : absence de verbe
dans la proposition principale des vers 575-577 (cette rupture marque la
colère d'Abner).

Jusqu'où de leurs discours ils portent la licence.
Ils vivent cependant, et leur temple est debout.
Mais je sens que bientôt ma douceur est à bout.
Que Joad mette un frein à son zèle sauvage,
600 Et ne m'irrite point par un second outrage.
Allez.

Scène 6

ATHALIE, MATHAN, SUITE D'ATHALIE

MATHAN

Enfin je puis parler en liberté.
Je puis dans tout son jour mettre la vérité.
Quelque monstre naissant dans ce temple s'élève,
Reine : n'attendez pas que le nuage crève.
605 Abner chez le grand prêtre a devancé le jour.
Pour le sang de ses rois vous savez son amour.
Et qui sait si Joad ne veut point en leur place
Substituer l'enfant dont le ciel vous menace,
Soit son fils, soit quelque autre...

ATHALIE

Oui, vous m'ouvrez
[les yeux.
610 Je commence à voir clair dans cet avis des cieux.
Mais je veux de mon doute être débarrassée.
Un enfant est peu propre à trahir sa pensée.
Souvent d'un grand dessein un mot nous fait juger.
Laissez-moi, cher Mathan, le voir, l'interroger.
615 Vous, cependant, allez ; et sans jeter d'alarmes,
À tous mes Tyriens faites prendre les armes.

Scène 7

JOAS, JOSABET, ATHALIE, ZACHARIE, ABNER,
SALOMITH, DEUX LÉVITES, LE CHŒUR, SUITE D'ATHALIE

JOSABET, *aux deux lévites.*
Ô vous, sur ces enfants si chers, si précieux,
Ministres du Seigneur, ayez toujours les yeux.

ABNER, *à Josabet.*
Princesse, assurez-vous, je les prends sous ma garde.

ATHALIE
620 Ô ciel ! plus j'examine et plus je le regarde,
C'est lui. D'horreur encor tous mes sens sont saisis.
Épouse de Joad, est-ce là votre fils ?

JOSABET
Qui ? Lui, Madame ?

ATHALIE
Lui.

JOSABET
Je ne suis point sa mère.
Voilà mon fils.

ATHALIE
Et vous, quel est donc votre père ?
625 Jeune enfant, répondez.

JOSABET
Le ciel jusqu'aujourd'hui...

ATHALIE
Pourquoi vous pressez-vous de répondre pour lui ?
C'est à lui de parler.

JOSABET
Dans un âge si tendre
Quel éclaircissement en pouvez-vous attendre ?

ATHALIE
Cet âge est innocent. Son ingénuité
630 N'altère point encor la simple vérité.
Laissez-le s'expliquer sur tout ce qui le touche.

JOSABET, *tout bas.*
* Daigne mettre, grand Dieu, ta sagesse en sa bouche.

ATHALIE
Comment vous nommez-vous ?

JOAS
J'ai nom Éliacin.

ATHALIE
Votre père ?

JOAS
Je suis, dit-on, un orphelin
635 Entre les bras de Dieu jeté dès ma naissance,
Et qui de mes parents n'eus jamais connaissance.

ATHALIE
Vous êtes sans parents ?

JOAS
Ils m'ont abandonné.

ATHALIE
Comment ? Et depuis quand ?

JOAS
Depuis que je suis né.

ATHALIE

Ne sait-on pas au moins quel pays est le vôtre ?

JOAS

640 Ce temple est mon pays, je n'en connais point
[d'autre[1].

ATHALIE

Où dit-on que le sort vous a fait rencontrer ?

JOAS

Parmi des loups cruels prêts à me dévorer.

ATHALIE

Qui vous mit dans ce temple ?

JOAS

Une femme inconnue,
Qui ne dit point son nom, et qu'on n'a point revue.

ATHALIE

645 Mais de vos premiers ans quelles mains ont pris soin ?

JOAS

＊ Dieu laissa-t-il jamais ses enfants au besoin ?
＊ Aux petits des oiseaux il donne la pâture,
Et sa bonté s'étend sur toute la nature.
Tous les jours je l'invoque, et d'un soin paternel,
650 Il me nourrit des dons offerts sur son autel.

ATHALIE

Quel prodige nouveau me trouble et m'embarrasse ?
La douceur de sa voix, son enfance, sa grâce,
Font insensiblement à mon inimitié

---

1. Le début de ce dialogue est inspiré des réponses de Ion à Créüse, dans *Ion*, d'Euripide. Voir notamment le vers 315 : « La maison du dieu est la mienne. J'y dors où le soleil me prend » (*Tragédies complètes*, traduction de M. Delcourt-Curvers, Paris, Gallimard, « Folio », n° 2104, 1990, tome I, p. 630).

Succéder... Je serais sensible à la pitié ?

ABNER

655 Madame, voilà donc cet ennemi terrible.
De vos songes menteurs l'imposture est visible,
À moins que la pitié qui semble vous troubler
Ne soit ce coup fatal qui vous faisait trembler.

ATHALIE, *à Joas et à Josabet.*

Vous sortez ?

JOSABET

Vous avez entendu sa fortune.
660 Sa présence à la fin pourrait être importune.

ATHALIE, *à Joas.*

Non : revenez. Quel est tous les jours votre emploi ?

JOAS

* J'adore le Seigneur. On m'explique sa loi.
Dans son livre divin on m'apprend à la lire,
Et déjà de ma main je commence à l'écrire.

ATHALIE

665 Que vous dit cette loi ?

JOAS

*   Que Dieu veut être aimé,
* Qu'il venge tôt ou tard son saint nom blasphémé,
* Qu'il est le défenseur de l'orphelin timide,
* Qu'il résiste au superbe et punit l'homicide.

ATHALIE

J'entends. Mais tout ce peuple enfermé dans ce lieu [1],
670 À quoi s'occupe-t-il ?

---

1. Dans le temple de Jérusalem, le sacrifice est célébré nuit et jour, et les
prêtres se succèdent sans interruption.

JOAS

Il loue, il bénit Dieu.

ATHALIE

Dieu veut-il qu'à toute heure on prie, on le
[contemple ?

JOAS

Tout profane exercice est banni de son temple.

ATHALIE

Quels sont donc vos plaisirs ?

JOAS

Quelquefois à l'autel
Je présente au grand prêtre ou l'encens ou le sel[1].
675 J'entends chanter de Dieu les grandeurs infinies.
Je vois l'ordre pompeux de ses cérémonies.

ATHALIE

Hé quoi ? vous n'avez point de passe-temps plus doux ?
Je plains le sort d'un enfant tel que vous.
Venez dans mon palais, vous y verrez ma gloire.

JOAS

680 Moi, des bienfaits de Dieu je perdrais la mémoire ?

ATHALIE

Non, je ne veux pas vous contraindre à l'oublier.

JOAS

Vous ne le priez point.

ATHALIE

Vous pourrez le prier.

---

1. « Vous offrirez le sel dans toutes vos oblations », dit le Lévitique, car
le sel qui doit assaisonner tout ce qu'on offre en sacrifice symbolise l'« alliance » que Dieu a faite avec son peuple (II, 13).

JOAS

Je verrais cependant en invoquer un autre ?

ATHALIE

J'ai mon Dieu que je sers. Vous servirez le vôtre.
685 Ce sont deux puissants dieux.

JOAS

                         Il faut craindre le mien :
* Lui seul est Dieu, Madame, et le vôtre n'est rien.

ATHALIE

Les plaisirs près de moi vous chercheront en foule.

JOAS

* Le bonheur des méchants comme un torrent s'écoule.

ATHALIE

Ces méchants, qui sont-ils ?

JOSABET

                         Hé ! Madame, excusez
690 Un enfant...

ATHALIE, *à Josabet.*

                 J'aime à voir comme vous l'instruisez.
Enfin, Éliacin, vous avez su me plaire ;
Vous n'êtes point sans doute un enfant ordinaire.
Vous voyez, je suis reine, et n'ai point d'héritier.
Laissez là cet habit, quittez ce vil métier.
695 Je veux vous faire part de toutes mes richesses.
Essayez dès ce jour l'effet de mes promesses.
À ma table, partout, à mes côtés assis [1],
Je prétends vous traiter comme mon propre fils.

---

1. Construction assez libre : « assis », qui doit normalement se rapporter à
« Je » sujet, se rapporte en fait à « vous ».

JOAS

Comme votre fils ?

ATHALIE

Oui. Vous vous taisez ?

JOAS

Quel père

700 Je quitterais ! Et pour...

ATHALIE

Hé bien ?

JOAS

Pour quelle mère !

ATHALIE, *à Josabet.*

Sa mémoire est fidèle, et dans tout ce qu'il dit,
De vous et de Joad je reconnais l'esprit.
Voilà comme, infectant cette simple jeunesse,
Vous employez tous deux le calme où je vous laisse.
705 Vous cultivez déjà leur haine et leur fureur ;
Vous ne leur[1] prononcez mon nom qu'avec horreur.

JOSABET

Peut-on de nos malheurs leur dérober l'histoire ?
Tout l'univers les sait. Vous-même en faites gloire.

ATHALIE

Oui, ma juste fureur, et j'en fais vanité,
710 A vengé mes parents sur ma postérité.
J'aurais vu massacrer et mon père et mon frère,
Du haut de son palais précipiter ma mère,
Et dans un même jour égorger à la fois
Quel spectacle d'horreur ! quatre-vingts fils de rois.
715 Et pourquoi ? Pour venger je ne sais quels prophètes,

---

1. Encore une syllepse de sens, puisque « leur » représente dans les vers 705
et 706 la pluralité contenue dans « simple jeunesse ».

Dont elle avait puni les fureurs[1] indiscrètes.
Et moi, reine sans cœur, fille sans amitié,
Esclave d'une lâche et frivole pitié,
Je n'aurais pas du moins à cette aveugle rage
720 Rendu meurtre pour meurtre, outrage pour outrage,
Et de votre David traité tous les neveux
Comme on traitait d'Achab les restes malheureux ?
Où serais-je aujourd'hui, si domptant ma faiblesse,
Je n'eusse d'une mère étouffé la tendresse,
725 Si de mon propre sang ma main versant des flots
N'eût par ce coup hardi réprimé vos complots ?
Enfin de votre Dieu l'implacable vengeance
Entre nos deux maisons rompit toute alliance.
David m'est en horreur, et les fils de ce roi
730 Quoique nés de mon sang, sont étrangers pour moi.

                              JOSABET

Tout vous a réussi ? Que Dieu voie, et nous juge.

                              ATHALIE

* Ce Dieu, depuis longtemps votre unique refuge[2],
Que deviendra l'effet de ses prédictions ?
Qu'il vous donne ce roi promis aux nations,
735 Cet enfant de David, votre espoir, votre attente...
Mais nous nous reverrons. Adieu, je sors contente :
J'ai voulu voir, j'ai vu.

                        ABNER, *à Josabet*.
                              Je vous l'avais promis,
Je vous rends le dépôt que vous m'avez commis.

---

1. Il s'agit ici, au sens du mot latin *furor*, des délires prophéti-
ques.   2. Phrase incomplète par absence de verbe (l'anacoluthe marque
évidemment l'émoi de la reine).

Scène 8

JOAD, JOSABET, JOAS, ZACHARIE, ABNER,
SALOMITH, LÉVITES, LE CHŒUR

JOSABET, *à Joad.*

Avez-vous entendu cette superbe reine,
740 Seigneur ?

JOAD

J'entendais tout et plaignais votre peine.
Ces lévites et moi, prêts à vous secourir,
Nous étions avec vous résolus de périr.

(*À Joas, en l'embrassant.*)

Que Dieu veille sur vous, enfant dont le courage
Vient de rendre à son nom ce noble témoignage.
745 Je reconnais, Abner, ce service important.
Souvenez-vous de l'heure où Joad vous attend.
Et nous, dont cette femme impie et meurtrière
A souillé les regards et troublé la prière,
Rentrons, et qu'un sang pur, par mes mains épanché [1],
750 Lave jusques [2] au marbre où ses pas ont touché.

Scène 9

LE CHŒUR

UNE DES FILLES DU CHŒUR

* Quel astre à nos yeux vient de luire ?
* Quel sera quelque jour cet enfant merveilleux ?
  Il brave le faste orgueilleux,
  Et ne se laisse point séduire

---

1. Rite de purification analogue à celui des sacrifices offerts pour les péchés involontaires et qui s'explique par le fait que nul idolâtre ne pouvait souiller les endroits sacrés. Or le vestibule du grand prêtre fait partie du temple de Jérusalem. **2.** Graphie avec *s* autorisée devant une voyelle pour faire un compte syllabique correct.

755   À[1] tous ses attraits périlleux.

                        UNE AUTRE
        Pendant que du dieu d'Athalie
        Chacun court encenser l'autel,
        Un enfant courageux publie
        Que Dieu lui seul est éternel,
760   Et parle comme un autre Élie,
        Devant cette autre Jézabel.

                        UNE AUTRE
    * Qui nous révélera ta naissance secrète,
    Cher enfant ? Es-tu fils de quelque saint prophète ?

                        UNE AUTRE
        Ainsi l'on vit l'aimable Samuel
765   Croître à l'ombre du tabernacle.
    Il devint des Hébreux l'espoir et l'oracle.
    Puisses-tu, comme lui, consoler Israël[2] !

                        UNE AUTRE *chante.*
    *   Ô bienheureux mille fois
            L'enfant que le Seigneur aime,
770   Qui de bonne heure entend sa voix,
        Et que ce Dieu daigne instruire lui-même !
    Loin du monde élevé, de tous les dons des cieux
            Il est orné dès sa naissance,
            Et du méchant l'abord contagieux
775   N'altère point son innocence.

                        TOUT LE CHŒUR
        Heureuse, heureuse l'enfance
    Que le Seigneur instruit et prend sous sa défense !

_____

1. Après le verbe « laisser », le verbe se construit au XVIIe siècle avec la préposition « à » plutôt qu'avec « par ».   **2.** Samuel fut comme Joas élevé dans le temple par le prêtre Héli. Il portait la robe de lin des lévites et fut bien l'« oracle » d'Israël car Dieu lui prédit la défaite des Juifs devant les Philistins. Enfin, il fut leur consolation, ayant été établi juge du peuple.

La même voix, *seule*.
Tel en un secret vallon,
Sur le bord d'une onde pure,
780 *   Croît, à l'abri de l'aquilon,
Un jeune lis, l'amour de la nature.
Loin du monde élevé, de tous les dons des cieux
Il est orné dès sa naissance,
Et du méchant l'abord contagieux
785   N'altère point son innocence.

Tout le chœur
Heureux, heureux mille fois
L'enfant que le Seigneur rend docile à ses lois !

Une voix, *seule*.
*   Mon Dieu, qu'une vertu naissante
Parmi tant de périls marche à pas incertains !
790 Qu'une âme qui te cherche et veut être innocente
Trouve d'obstacle[1] à ses desseins !
Que d'ennemis lui font la guerre !
Où se peuvent cacher tes saints ?
Les pécheurs couvrent la terre.

Une autre
795 * Ô palais de David, et sa chère cité,
Mont fameux, que Dieu même a longtemps habité,
Comment as-tu du ciel attiré la colère ?
Sion, chère Sion, que dis-tu quand tu vois
Une impie étrangère
800   Assise, hélas ! au trône de tes rois ?

Tout le chœur
Sion, chère Sion, que dis-tu quand tu vois
Une impie étrangère
Assise, hélas ! au trône de tes rois ?

---

1. Le singulier de ce nom de chose est ici normal parce que « d' » est un article partitif (contraction de la préposition *de* et de l'article défini *le*). On comprendra donc ceci : « Qu'une âme [...] trouve de l'obstacle [une part d'obstacle] dans ses desseins ! »

La même voix *continue*.
Au lieu des cantiques charmants
805   Où David t'exprimait ses saints ravissements,
Et bénissait son Dieu, son Seigneur et son père,
Sion, chère Sion, que dis-tu quand tu vois
Louer le dieu de l'impie étrangère,
Et blasphémer le nom qu'ont adoré tes rois ?

Une voix, *seule*.
810 * Combien de temps, Seigneur, combien de temps
[encore
Verrons-nous contre toi les méchants s'élever ?
Jusque dans ton saint temple ils viennent te braver.
Ils traitent d'insensé le peuple qui t'adore.
Combien de temps, Seigneur, combien de temps
[encore
815   Verrons-nous contre toi les méchants s'élever ?

Une autre
* Que vous sert, disent-ils, cette vertu sauvage ?
De tant de plaisirs si doux
Pourquoi fuyez-vous l'usage ?
Votre Dieu ne fait rien pour vous.

Une autre
820   Rions, chantons, dit cette troupe impie ;
De fleurs en fleurs, de plaisirs en plaisirs,
Promenons nos désirs.
Sur l'avenir, insensé qui se fie.
De nos ans passagers le nombre est incertain.
825   Hâtons-nous aujourd'hui de jouir de la vie ;
Qui sait si nous serons demain ?

Tout le chœur
* Qu'ils pleurent, ô mon Dieu, qu'ils frémissent de
[crainte,
Ces malheureux, qui de ta cité sainte
Ne verront point l'éternelle splendeur.
830   C'est à nous de chanter, nous à qui tu révèles

Tes clartés immortelles ;
C'est à nous de chanter tes dons et ta grandeur.

UNE VOIX, *seule.*

* De tous ces vains plaisirs où leur âme se plonge,
Que leur restera-t-il ? Ce qui reste d'un songe
835   Dont on a reconnu l'erreur.
       À leur réveil, ô réveil plein d'horreur !
*   Pendant que le pauvre à ta table
Goûtera de ta paix la douceur ineffable,
* Ils boiront dans la coupe affreuse, inépuisable,
840   Que tu présenteras au jour de ta fureur
       À toute la race coupable.

TOUT LE CHŒUR

Ô réveil plein d'horreur !
Ô songe peu durable !
Ô dangereuse erreur !

ACTE III

Scène Première

MATHAN, NABAL, LE CHŒUR

MATHAN

845 Jeunes filles, allez : qu'on dise à Josabet
Que Mathan veut ici lui parler en secret.

UNE DES FILLES DU CHŒUR

Mathan ! ô Dieu du ciel, puisses-tu le confondre.

NABAL

Hé quoi ? tout se disperse et fuit sans vous répondre ?

MATHAN

Approchons.

Scène 2

ZACHARIE, MATHAN, NABAL

ZACHARIE

Téméraire, où voulez-vous passer[1] ?
850 Au-delà de ce lieu gardez-vous d'avancer.
C'est des ministres saints la demeure sacrée ;

---

1. Voilà une fermeté digne de celle de Joad, et qui convient à un adolescent convaincu, non à une jeune fille (pourtant le rôle fut longtemps tenu par des jeunes filles, et, en 1837 encore, il était joué par Sarah Bernhardt !).

Les lois à tout profane en défendent l'entrée.
Qui cherchez-vous ? Mon père, en ce jour solennel,
De l'idolâtre impur fuit l'aspect criminel,
855 Et devant le Seigneur maintenant prosternée,
Ma mère en ce devoir craint d'être détournée.

MATHAN

Mon fils, nous attendrons : cessez de vous troubler.
C'est votre illustre mère à qui[1] je veux parler.
Je viens ici chargé d'un ordre de la Reine.

Scène 3

MATHAN, NABAL

NABAL

860 Leurs enfants ont déjà leur audace hautaine.
Mais que veut Athalie en cette occasion ?
D'où naît dans ses conseils cette confusion ?
Par l'insolent Joad ce matin offensée,
Et d'un enfant fatal en songe menacée,
865 Elle allait immoler Joad à son courroux,
Et dans ce temple enfin placer Baal et vous.
Vous m'en aviez déjà confié votre joie,
Et j'espérais ma part d'une si riche proie[2].
Qui fait changer ainsi ses vœux irrésolus ?

MATHAN

870 Ami, depuis deux jours je ne la connais plus.
Ce n'est plus cette reine éclairée, intrépide,
Élevée au-dessus de son sexe timide,
Qui d'abord accablait ses ennemis surpris,

---

1. Pour « c'est à votre illustre mère que je veux parler » : construction licite au XVIIe siècle, où le substantif « votre mère » est attribut de « ce », tandis que la préposition est placée devant le relatif « qui ». Même emploi au vers 1467. 2. Le Nabal de Racine est cupide comme ce Nabal, riche propriétaire de troupeaux sur le Carmel, qui refusa d'aider David et fut frappé d'apoplexie par Dieu (Rois, I, xxv).

Et d'un instant perdu connaissait tout le prix.
875 La peur d'un vain remords trouble cette grande âme :
Elle flotte, elle hésite ; en un mot, elle est femme.
J'avais tantôt rempli d'amertume et de fiel
Son cœur déjà saisi des menaces du ciel.
Elle-même, à mes soins confiant sa vengeance,
880 M'avait dit d'assembler sa garde en diligence.
Mais soit que cet enfant devant elle amené,
De ses parents, dit-on, rebut infortuné,
Eût d'un songe effrayant diminué l'alarme,
Soit qu'elle eût même en lui vu je ne sais quel charme,
885 J'ai trouvé son courroux chancelant, incertain,
Et déjà remettant sa vengeance à demain.
Tous ses projets semblaient l'un l'autre se détruire.
« Du sort de cet enfant, je me suis fait instruire,
Ai-je dit. On commence à vanter ses aïeux ;
890 Joad de temps en temps le montre aux factieux,
Le fait attendre aux Juifs comme un autre Moïse,
Et d'oracles menteurs s'appuie et s'autorise. »
Ces mots ont fait monter la rougeur sur son front.
Jamais mensonge heureux n'eut un effet si prompt.
895   « Est-ce à moi de languir dans cette incertitude ?
Sortons, a-t-elle dit, sortons d'inquiétude.
Vous-même à Josabet prononcez cet arrêt :
Les feux vont s'allumer, et le fer est tout prêt ;
Rien ne peut de leur temple empêcher le ravage,
900 Si je n'ai de leur foi cet enfant pour otage. »

                            NABAL

Hé bien ! pour un enfant qu'ils ne connaissent pas,
Que le hasard peut-être a jeté dans leurs bras,
Voudront-ils que leur temple, enseveli sous l'herbe...

                            MATHAN

Ah ! de tous les mortels connais le plus superbe.
905 Plutôt que dans mes mains par Joad soit livré
Un enfant qu'à son Dieu Joad a consacré,
Tu lui verras subir la mort la plus terrible.
D'ailleurs pour cet enfant leur attache est visible.

Si j'ai bien de la Reine entendu le récit,
910 Joad sur sa naissance en sait plus qu'il ne dit.
Quel qu'il soit, je prévois qu'il leur sera funeste.
Ils le [1] refuseront. Je prends sur moi le reste ;
Et j'espère qu'enfin de ce temple odieux
Et la flamme et le fer vont délivrer mes yeux.

NABAL

915 Qui peut vous inspirer une haine si forte ?
Est-ce que de Baal le zèle vous transporte ?
Pour moi, vous le savez, descendu d'Ismaël [2],
Je ne sers ni Baal, ni le Dieu d'Israël.

MATHAN

Ami, peux-tu penser que d'un zèle frivole
920 * Je me laisse aveugler pour une vaine idole,
Pour un fragile bois que, malgré mon secours,
Les vers sur son autel consument tous les jours ?
Né ministre du Dieu qu'en ce temple on adore,
Peut-être que Mathan le servirait encore,
925 Si l'amour des grandeurs, la soif de commander
Avec son joug étroit pouvaient s'accommoder.
    Qu'est-il besoin, Nabal, qu'à tes yeux je rappelle
De Joad et de moi la fameuse querelle,
Quand j'osai contre lui disputer l'encensoir,
930 Mes brigues, mes combats, mes pleurs, mon

[désespoir ?
Vaincu par lui, j'entrai dans une autre carrière,
Et mon âme à la cour s'attacha toute [3] entière.
J'approchai par degrés de l'oreille des rois,
Et bientôt en oracle on érigea ma voix.
935 J'étudiai leur cœur, je flattai leurs caprices,

---

1. Emploi assez libre du pronom « le » qui représente non pas l'« enfant »
du vers 908, mais le projet évoqué aux vers 905-906 (livrer Joad à la reine).
2. Note de Racine : « Les Ismaélites étaient idolâtres et fort attachés à leurs
dieux. » Et il cite la Vulgate, pour Jérémie, II, 10. Ismaël est le premier fils
d'Abraham, qui l'eut de sa servante Agar.   **3.** L'adverbe « tout » varie
devant un adjectif féminin, même quand celui-ci commence par une
voyelle (règle posée par Vaugelas).

Je leur semai de fleurs le bord des précipices.
Près de[1] leurs passions rien ne me fut sacré ;
De mesure et de poids je changeais à leur gré[2].
Autant que de Joad l'inflexible rudesse
940 De leur superbe oreille offensait la mollesse,
Autant je les charmais par ma dextérité,
Dérobant à leurs yeux la triste vérité,
Prêtant à leurs fureurs des couleurs favorables,
Et prodigue surtout du sang des misérables.
945   Enfin au Dieu nouveau qu'elle avait introduit,
Par les mains d'Athalie un temple fut construit.
Jérusalem pleura de se voir profanée ;
Des enfants de Lévi la troupe consternée
En poussa vers le ciel des hurlements affreux.
950 Moi seul, donnant l'exemple aux timides Hébreux,
Déserteur de leur loi, j'approuvai l'entreprise,
Et par là de Baal méritai la prêtrise.
Par là je me rendis terrible à mon rival,
Je ceignis la tiare, et marchai[3] son égal.
955 Toutefois, je l'avoue, en ce comble de gloire,
Du Dieu que j'ai quitté l'importune mémoire
Jette encore en mon âme un reste de terreur ;
Et c'est ce qui redouble et nourrit ma fureur.
Heureux si, sur son temple achevant ma vengeance,
960 Je puis convaincre[4] enfin sa haine d'impuissance,
Et parmi[5] le débris, le ravage et les morts,
À force d'attentats perdre tous mes remords !
Mais voici Josabet.

---

1. La locution prépositive « près de » signifie ici « quand il s'agissait de ».   **2.** Infraction à une des grandes lois du Lévitique, XIX, 36 : « Que la balance soit juste et les poids tels qu'ils doivent être. »   **3.** La construction « marchai son égal » s'explique par le sens métaphorique de « marcher » qui signifie « être ».   **4.** Emploi rare, par extension, du sens courant (forcer quelqu'un à faire quelque chose) : ici, Mathan veut forcer la « haine » de Dieu à devenir « impuissante », inoffensive à son égard.   **5.** La préposition « parmi » est dans ce vers à mi-chemin entre l'emploi moderne (« au milieu de », en parlant d'un nom au pluriel, qui est ici « morts »), *et* l'usage ancien, où elle introduisait un substantif singulier qui n'était pas forcément un collectif (ici, « débris », « ravage »).

Scène 4

JOSABET, MATHAN, NABAL

MATHAN
Envoyé par la reine
Pour rétablir le calme et dissiper la haine,
965 Princesse, en qui le ciel mit un esprit si doux,
Ne vous étonnez pas si je m'adresse à vous.
Un bruit, que j'ai pourtant soupçonné de mensonge,
Appuyant les avis qu'elle a reçus en songe,
Sur Joad accusé de dangereux complots,
970 Allait de sa colère attirer tous les flots.
Je ne veux point ici vous vanter mes services.
De Joad contre moi je sais les injustices ;
Mais il faut à l'offense opposer les bienfaits.
Enfin je viens chargé de paroles de paix.
975 Vivez, solennisez vos fêtes sans ombrage.
De votre obéissance elle ne veut qu'un gage :
C'est, pour l'en détourner j'ai fait ce que j'ai pu,
Cet enfant sans parents, qu'elle a dit qu'elle a vu [1].

JOSABET
Éliacin !

MATHAN
J'en ai pour elle quelque honte.
980 D'un vain songe peut-être elle fait trop de compte.
Mais vous vous déclarez ses mortels ennemis,
Si cet enfant sur l'heure en mes mains n'est remis.
La Reine impatiente attend votre réponse.

JOSABET
Et voilà de sa part la paix qu'on nous annonce !

---

1. Construction datant du Moyen Âge (complétive incluse dans une relative). On dirait maintenant : « qu'elle dit avoir vu ».

MATHAN

985 Pourriez-vous un moment douter de l'accepter ?
     D'un peu de complaisance est-ce trop l'acheter ?

JOSABET

J'admirais si[1] Mathan, dépouillant l'artifice,
Avait pu de son cœur surmonter l'injustice,
Et si de tant de maux le funeste inventeur
990 De quelque ombre de bien pouvait être l'auteur.

MATHAN

De quoi vous plaignez-vous ? Vient-on avec furie
Arracher de vos bras votre fils Zacharie ?
Quel est cet autre enfant si cher à votre amour ?
Ce grand attachement me surprend à mon tour.
995 Est-ce un trésor pour vous si précieux, si rare ?
     Est-ce un libérateur que le ciel vous prépare ?
     Songez-y : vos refus pourraient me confirmer
     Un bruit sourd que déjà l'on commence à semer.

JOSABET

Quel bruit ?

MATHAN

              Que cet enfant vient d'illustre origine,
1000 Qu'à quelque grand projet votre époux le destine.

JOSABET

Et Mathan, par ce bruit qui flatte sa fureur...

MATHAN

Princesse, c'est à vous à me tirer d'erreur.
Je sais que, du mensonge implacable ennemie,
Josabet livrerait même sa propre vie,
1005 S'il fallait que sa vie à sa sincérité

---

1. Pour « j'aurais admiré [voir glossaire] si... » : emploi de l'imparfait au lieu du conditionnel présent dans la principale pour souligner que l'effet du retournement de Mathan aurait été immédiat (construction possible dans la syntaxe classique).

Coûtât le moindre mot contre la vérité.
Du sort de cet enfant on n'a donc nulle trace ?
Une profonde nuit enveloppe sa race ?
Et vous-même ignorez de quels parents issu,
1010 De quelles mains Joad en ses bras l'a reçu ?
Parlez, je vous écoute et suis prêt de vous croire.
Au Dieu que vous servez, Princesse, rendez gloire.

JOSABET

Méchant, c'est bien à vous d'oser ainsi nommer
Un Dieu que votre bouche enseigne à blasphémer.
1015 Sa vérité par vous peut-elle être attestée,
  * Vous, malheureux, assis dans la chaire empestée
Où le mensonge règne et répand son poison,
Vous, nourri dans la fourbe et dans la trahison ?

Scène 5

JOAD, JOSABET, MATHAN, NABAL

JOAD

Où suis-je ? De Baal ne vois-je pas le prêtre ?
1020 Quoi, fille de David, vous parlez à ce traître ?
Vous souffrez qu'il vous parle ? Et vous ne craignez
                                                    [pas
Que du fond de l'abîme entr'ouvert sous ses pas
Il ne sorte à l'instant des feux qui vous embrasent,
Ou qu'en tombant sur lui ces murs ne vous écrasent ?
1025 Que veut-il ? De quel front cet ennemi de Dieu
Vient-il infecter l'air qu'on respire en ce lieu ?

MATHAN

On reconnaît Joad à cette violence.
Toutefois, il devrait montrer plus de prudence,
Respecter une reine, et ne pas outrager
1030 Celui que de son ordre elle a daigné charger.

JOAD

Hé bien, que nous fait-elle annoncer de sinistre ?
Quel sera l'ordre affreux qu'apporte un tel ministre ?

MATHAN

J'ai fait à Josabet savoir sa volonté.

JOAD

Sors donc de devant moi, monstre d'impiété.
1035 *De toutes tes horreurs, va, comble la mesure.
Dieu s'apprête à te joindre à la race parjure,
Abiron et Dathan, Doëg, Architophel[1].
Les chiens à qui son bras a livré Jézabel,
Attendant que sur toi sa fureur se déploie,
1040 Déjà sont à ta porte et demandent leur proie.

MATHAN (*Il se trouble.*)

Avant la fin du jour... on verra qui de nous...
Doit... Mais sortons, Nabal.

NABAL

                          Où vous égarez-vous ?
De vos sens étonnés quel désordre s'empare ?
Voilà votre chemin.

Scène 6

JOAD, JOSABET

JOSABET

                 L'orage se déclare.
1045 Athalie en fureur demande Éliacin.

---

1. Dathan et Abiron se révoltèrent contre Moïse et périrent engloutis par le feu de la terre (Nombres, XIV, 1-3 et 30-33). Doëg trahit Abimélech, ami de David, et le tua (Rois, I, XXII) ; enfin, Architophel, le conseiller d'Absalon, fils rebelle de David, se pendit quand Absalon l'abandonna (Rois, II, XV-XVII).

Déjà de sa naissance et de votre dessein
On commence, Seigneur, à percer le mystère :
Peu s'en faut que Mathan ne m'ait nommé son père.

JOAD

Au perfide Mathan qui l'aurait révélé ?
1050 Votre trouble à Mathan n'a-t-il point trop parlé ?

JOSABET

J'ai fait ce que j'ai pu pour m'en rendre maîtresse.
Cependant, croyez-moi, Seigneur, le péril presse.
Réservons cet enfant pour un temps plus heureux.
Tandis que les méchants délibèrent entre eux,
1055 Avant qu'on l'environne, avant qu'on nous l'arrache,
Une seconde fois souffrez que je le cache.
Les portes, les chemins lui sont encore ouverts.
Faut-il le transporter aux plus affreux déserts ?
Je suis prête. Je sais une secrète issue
1060 Par où, sans qu'on le voie, et sans être aperçue,
De Cédron[1] avec lui traversant le torrent,
J'irai dans le désert, où jadis en pleurant,
Et cherchant comme nous son salut dans la fuite,
David d'un fils rebelle évita la poursuite.
1065 Je craindrai moins pour lui les lions et les ours...
Mais pourquoi de Jéhu refuser le secours ?
Je vous ouvre peut-être un avis salutaire.
Faisons de ce trésor Jéhu dépositaire.
On peut dans ses États le[2] conduire aujourd'hui,
1070 Et le chemin est court qui mène jusqu'à lui.
Jéhu n'a point un cœur farouche, inexorable ;
De David à ses yeux le nom est favorable[3].
Hélas ! est-il un roi si dur et si cruel,
À moins qu'il n'eût pour mère une autre Jézabel,

---

1. Au XVIIᵉ siècle, l'article n'est pas forcément employé devant certains noms propres. Le torrent du Cédron est une des grandes limites de Jérusalem et est la porte du désert. 2. « Le » renvoie au « lui » du vers 1065, donc à Joas. 3. Pour les adversaires de la reine, Jéhu qui fit mettre à mort tous les prêtres de Baal dans leur temple est évidemment digne d'éloge.

1075 Qui d'un tel suppliant ne plaignît l'infortune ?
     Sa cause à tous les rois n'est-elle pas commune ?

                          JOAD

     Quels timides conseils m'osez-vous suggérer ?
     En l'appui de Jéhu pourriez-vous espérer ?

                        JOSABET

     Dieu défend-il tout soin et toute prévoyance ?
1080 Ne l'offense-t-on point par trop de confiance ?
     À ses desseins sacrés employant les humains,
     N'a-t-il pas de Jéhu lui-même armé les mains [1] ?

                          JOAD

     Jéhu, qu'avait choisi sa sagesse profonde,
     Jéhu, sur qui je vois que votre espoir se fonde,
1085 D'un oubli trop ingrat a payé ses bienfaits.
     Jéhu laisse d'Achab l'affreuse fille en paix,
     Suit des rois d'Israël les profanes exemples,
     Du vil dieu de l'Égypte a conservé les temples [2].
     Jéhu, sur les hauts lieux enfin osant offrir
1090 Un téméraire encens que Dieu ne peut souffrir,
     N'a pour servir sa cause et venger ses injures
     Ni le cœur assez droit, ni les mains assez pures.
     Non, non, c'est à Dieu seul qu'il nous faut attacher.
     Montrons Éliacin, et, loin de le cacher [3],
1095 Que du bandeau royal sa tête soit ornée.
     Je veux même avancer l'heure déterminée,
     Avant que de Mathan le complot soit formé.

---

1. Allusion au fait que Jéhu fut sacré roi d'Israël par un disciple du prophète Élisée sur l'ordre de celui-ci qui voyait en lui le bras de
Dieu.   2. Effectivement Jéhu, qui n'avait pas attaqué le royaume de
Juda sous le règne d'Athalie et qui n'avait pas enlevé les images du veau
d'or que Jéroboam avait installées sur les collines de Béthel, continuait
à adorer ces idoles.   3. Anacoluthe : « loin de le cacher », proposition
infinitive, a le même sujet que « montrons », alors que la proposition principale introduite par « que » en a un autre.

Scène 7

JOAD, JOSABET, AZARIAS SUIVI DU CHŒUR
ET DE PLUSIEURS LÉVITES

JOAD
Hé bien, Azarias[1], le temple est-il fermé ?

AZARIAS
J'en ai fait devant moi fermer toutes les portes.

JOAD
1100 N'y reste-t-il que vous et vos saintes cohortes ?

AZARIAS
De ses parvis sacrés j'ai fait deux fois le tour.
Tout a fui. Tous se sont séparés sans retour,
Misérable troupeau qu'a dispersé la crainte ;
Et Dieu n'est plus servi que dans la tribu sainte.
1105 Depuis qu'à Pharaon ce peuple est échappé[2],
Une égale terreur ne l'avait point frappé.

JOAD
Peuple lâche, en effet, et né pour l'esclavage,
Hardi contre Dieu seul ! Poursuivons notre ouvrage.
Mais qui retient encor ces enfants parmi nous ?

UNE DES FILLES DU CHŒUR
1110 Hé ! pourrions-nous, Seigneur, nous séparer de vous ?
Dans le temple de Dieu sommes-nous étrangères ?
Vous avez près de vous nos pères et nos frères.

UNE AUTRE
Hélas ! si pour venger l'opprobre d'Israël,

---

1. Le fidèle serviteur de Joas porte le nom d'un ami de Judas Maccabée, chargé de défendre la Judée (Maccabées, I, 18).   2. « Est échappé » au lieu de « a échappé », pour marquer l'action achevée.

Nos mains ne peuvent pas, comme autrefois Jahel [1],
1115 Des ennemis de Dieu percer la tête impie,
Nous lui pouvons du moins immoler notre vie.
Quand vos bras combattront pour son temple attaqué,
Par nos larmes du moins il peut être invoqué.

JOAD

Voilà donc quels vengeurs s'arment pour ta querelle,
1120 Des prêtres, des enfants, ô Sagesse éternelle [2] !
 * Mais si tu les soutiens, qui peut les ébranler ?
 * Du tombeau, quand tu veux, tu sais nous rappeler.
 * Tu frappes et guéris. Tu perds et ressuscites.
Ils ne s'assurent point en leurs propres mérites,
1125 Mais en ton nom sur eux invoqué tant de fois,
 * En tes serments jurés au plus saint de leurs rois,
En ce temple où tu fais ta demeure sacrée,
Et qui doit du soleil égaler la durée.
Mais d'où vient que mon cœur frémit d'un saint
                                                [effroi [3] ?
1130 Est-ce l'Esprit divin qui s'empare de moi ?
C'est lui-même. Il m'échauffe. Il parle. Mes yeux
                                                [s'ouvrent,
Et les siècles obscurs devant moi se découvrent.
Lévites, de vos sons prêtez-moi les accords,
Et de ses mouvements secondez les accords.

LE CHŒUR
chante au son de toute la symphonie des instruments.

1135 * Que du Seigneur la voix se fasse entendre,
Et qu'à nos cœurs son oracle divin

---

1. Jahel, femme fidèle à Dieu, tua Sisara, ennemi de son peuple, en lui
enfonçant un pieu dans la tête (Juges, IV, 21).   2. « Éclat de la lumière
éternelle », dit de la sagesse divine le livre du même nom (VII, 26). C'est
également la « Sainte Sagesse » des chrétiens, à laquelle était dédiée la
grande église de Constantinople.   3. On a songé pour ces vers à un souvenir de Virgile, *Énéide*, VI, vers 45-50 (transes de la Sibylle devant Énée).
Mais Joas est saisi de l'Esprit saint le jour de Pentecôte, comme les apôtres
qui furent « remplis de l'Esprit saint », Actes des Apôtres, II, 4.

*   Soit ce qu'à l'herbe tendre
    Est, au printemps, la fraîcheur du matin.

JOAD

* Cieux, écoutez ma voix. Terre, prête l'oreille.
1140*Ne dis plus, ô Jacob, que ton Seigneur sommeille.
   Pécheurs, disparaissez : le Seigneur se réveille.

      (*Ici recommence la symphonie, et Joad aussitôt
      reprend la parole.*)

* Comment en un plomb vil l'or pur s'est-il changé ?
   Quel est dans le lieu saint ce pontife égorgé ?
   Pleure, Jérusalem, pleure, cité perfide,
1145 Des prophètes divins malheureuse homicide.
   De son amour pour toi ton Dieu s'est dépouillé.
   Ton encens à ses yeux est un encens souillé.
      Où menez-vous ces enfants et ces femmes ?
   Le Seigneur a détruit la reine des cités.
1150 Ses prêtres sont captifs, ses rois sont rejetés.
   Dieu ne veut plus qu'on vienne à ses solennités.
   Temple, renverse-toi ; cèdres, jetez des flammes.
      Jérusalem, objet de ma douleur,
   Quelle main en ce jour t'a ravi tous tes charmes ?
1155 Qui changera mes yeux en deux sources de larmes
      Pour pleurer ton malheur ?

AZARIAS

Ô saint temple !

JOSABET
Ô David !

LE CHŒUR
      Dieu de Sion, rappelle
Rappelle en sa faveur tes antiques bontés.
      (*La symphonie recommence encore, et Joad, un
      moment après, l'interrompt.*)

JOAD

*   Quelle Jérusalem nouvelle
1160 Sort du fond du désert brillante de clartés,
Et porte sur le front une marque immortelle ?
       Peuples de la terre, chantez.
Jérusalem renaît plus charmante et plus belle.
       D'où lui viennent de tous côtés
1165 Ces enfants qu'en son sein elle n'a point portés ?
Lève, Jérusalem, lève ta tête altière ;
Regarde tous ces rois de ta gloire étonnés.
Les rois des nations, devant toi prosternés,
       De tes pieds baisent la poussière ;
1170 Les peuples à l'envi marchent à ta lumière.
Heureux qui pour Sion d'une sainte ferveur
       Sentira son âme embrasée !
       Cieux, répandez votre rosée,
Et que la terre enfante son Sauveur.

JOSABET

1175 Hélas ! d'où nous viendra cette faveur insigne,
Si les rois de qui doit descendre ce Sauveur...

JOAD

Préparez, Josabet, le riche diadème
Que sur son front sacré David porta lui-même.
                         (*Aux lévites.*)
Et vous, pour vous armer, suivez-moi dans ces lieux
1180 Où se garde caché, loin des profanes yeux,
Ce formidable amas de lances et d'épées
Qui du sang philistin jadis furent trempées,
Et que David vainqueur, d'ans et d'honneurs chargé,
Fit consacrer au Dieu qui l'avait protégé.
1185 Peut-on les employer pour un plus noble usage ?
Venez, je veux moi-même en faire le partage.

Scène 8

SALOMITH, LE CHŒUR

SALOMITH

Que de craintes, mes sœurs, que de troubles mortels !
Dieu tout-puissant, sont-ce là les prémices,
Les parfums et les sacrifices
1190 Qu'on devait en ce jour offrir sur tes autels ?

UNE DES FILLES DU CHŒUR

Quel spectacle à nos yeux timides !
Qui l'eût cru[1], qu'on dût voir jamais
Les glaives meurtriers, les lances homicides
Briller dans la maison de paix ?

UNE AUTRE

1195 D'où vient que pour son Dieu pleine d'indifférence,
Jérusalem se tait en ce pressant danger ?
D'où vient, mes sœurs, que pour nous protéger,
Le brave Abner au moins ne rompt pas le silence ?

SALOMITH

Hélas ! dans une cour où l'on n'a d'autres lois[2]
1200 Que la force et la violence,
Où les honneurs et les emplois
Sont le prix d'une aveugle et basse obéissance,
Ma sœur, pour la triste innocence
Qui voudrait élever sa voix ?

UNE AUTRE

1205 Dans ce péril, dans ce désordre extrême,
Pour qui prépare-t-on le sacré diadème ?

---

1. Tour fréquent au XVIIᵉ siècle : le pronom neutre élidé *l'* introduit la subordonnée qui suit.   **2.** Concession de Racine à un lieu commun du théâtre du XVIᵉ siècle : la condamnation de la corruption de la cour.

SALOMITH

Le Seigneur a daigné parler.
Mais ce qu'à son prophète il vient de révéler,
            Qui pourra nous le faire entendre ?
1210   S'arme-t-il pour nous défendre ?
            S'arme-t-il pour nous accabler ?

TOUT LE CHŒUR *chante*.

Ô promesse ! ô menace ! ô ténébreux mystère !
Que de maux, que de biens sont prédits tour à tour !
            Comment peut-on avec tant de colère
1215   Accorder tant d'amour ?

UNE VOIX, *seule*.

Sion ne sera plus. Une flamme cruelle
            Détruira tous ses ornements.

UNE AUTRE VOIX

Dieu protège Sion. Elle a pour fondements
            Sa parole éternelle.

LA PREMIÈRE

1220 Je vois tout son éclat disparaître à mes yeux.

LA SECONDE

Je vois de toutes parts sa clarté répandue.

LA PREMIÈRE

Dans un gouffre profond Sion est descendue.

LA SECONDE

            Sion a son front dans les cieux.

LA PREMIÈRE

Quel triste abaissement !

LA SECONDE
Quelle immortelle gloire !

LA PREMIÈRE
Que de cris de douleur !

LA SECONDE
1225   Que de chants de victoire !

UNE TROISIÈME
Cessons de nous troubler. Notre Dieu quelque jour
Dévoilera ce grand mystère[1].

TOUTES TROIS
Révérons sa colère ;
Espérons en son amour.

UNE AUTRE
1230   D'un cœur qui t'aime,
Mon Dieu, qui peut troubler la paix ?
Il cherche en tout ta volonté suprême,
Et ne se cherche jamais.
Sur la terre, dans le ciel même,
1235 Est-il d'autre bonheur que la tranquille paix
D'un cœur qui t'aime ?

---

1. Ce mystère (vérité révélée par Dieu) est celui de la naissance du Christ. Tantôt allusif, tantôt explicite, il a nourri tout le chant des actes II et III, et rejoint les propos de Joad. Pendant la période révolutionnaire, nombre de ces chants jugés trop « fanatiques » furent remplacés par des vers de… Rousseau.

ACTE IV

Scène Première

JOAS, JOSABET, ZACHARIE, SALOMITH,
UN LÉVITE, LE CHŒUR

SALOMITH

D'un pas majestueux, à côté de ma mère,
Le jeune Éliacin s'avance avec mon frère.
Dans ces voiles [1], mes sœurs, que portent-ils tous
                                   [deux ?
1240 Quel est ce glaive enfin qui marche devant eux ?

JOSABET, *à Zacharie.*

Mon fils, avec respect posez sur cette table
De notre sainte loi le livre redoutable.
Et vous aussi, posez, aimable Éliacin,
Cet auguste bandeau [2] près du livre divin.
1245 Lévite, il faut placer, Joad ainsi l'ordonne
Le glaive de David auprès de sa couronne.

---

1. Zacharie et Joas marchent la tête voilée. « Lévites voilés dans le temple à cause de la majesté », dit Racine dans ses Notes, où il renvoie à Grotius et à son commentaire du Nouveau Testament, ainsi qu'à saint Paul (Ire Épître aux Corinthiens, XI, qui demande aux femmes de se voiler en priant). Aussi bien, Moïse se couvre la tête, lumineuse de l'éclat divin, en parlant aux Hébreux (Exode, XXIV, 33-35), et le Lévitique demande que le grand prêtre ne se découvre pas la face (X, 6 et XXI, 10).   **2.** « Auguste » parce que, après la mort de Saül, premier roi d'Israël, il fut remis à David (Rois, II, I, 10).

JOAS

Princesse, quel est donc ce spectacle nouveau ?
Pourquoi ce livre saint, ce glaive, ce bandeau ?
Depuis que le Seigneur m'a reçu dans son temple,
1250 D'un semblable appareil[1] je n'ai point vu d'exemple.

JOSABET

Tous vos doutes, mon fils, bientôt s'éclairciront.

JOAS

Vous voulez essayer ce bandeau sur mon front ?
Ah ! Princesse, gardez d'en profaner la gloire.
Du roi qui l'a porté respectez la mémoire.
1255 Un malheureux enfant aux ours abandonné...

JOSABET, *lui essayant le diadème.*

Laissez, mon fils : je fais ce qui m'est ordonné.

JOAS

Mais j'entends les sanglots sortir de votre bouche !
Princesse, vous pleurez ! Quelle pitié vous touche ?
Est-ce qu'en holocauste aujourd'hui présenté,
1260 Je dois, comme autrefois la fille de Jephté[2],
Du Seigneur par ma mort apaiser la colère ?
Hélas ! un fils n'a rien qui ne soit à son père.

JOSABET

Voici qui[3] vous dira les volontés des cieux.
Ne craignez rien. Et nous, sortons tous de ces lieux.

---

1. Préparatif solennel, grand apparat. Le mot convient bien à la cérémonie qui se prépare et qui s'inspire de celle du sacre des rois de France.
2. Jephté, en combattant les Ammonites, promit que, si Dieu lui donnait la victoire, il lui sacrifierait la première personne qu'il rencontrerait. Or ce fut sa fille, qui accepta sans hésiter de mourir (Juges, XI, 31-40). Mais non pour apaiser la colère de Dieu, comme le dit Joad... 3. Latinisme, où l'antécédent de « qui », soit « celui » (Joad), manque.

Scène 2

JOAS, JOAD

JOAS, *courant dans les bras du grand prêtre.*
1265 Mon père !

JOAD
Hé bien, mon fils ?

JOAS
Qu'est-ce donc qu'on
[prépare ?

JOAD
Il est juste, mon fils, que je vous le déclare.
Il faut que vous soyez instruit, même avant tous,
Des grands desseins de Dieu sur son peuple et sur vous.
Armez-vous d'un courage et d'une foi nouvelle.
1270 Il est temps de montrer cette ardeur et ce zèle
Qu'au fond de votre cœur mes soins ont cultivés,
Et de payer à Dieu ce que vous lui devez.
Sentez-vous cette noble et généreuse[1] envie ?

JOAS
Je me sens prêt, s'il veut, de lui donner ma vie.

JOAD
1275 On vous a lu souvent l'histoire de nos rois.
Vous souvient-il, mon fils, quelles étroites lois
Doit s'imposer un roi digne du diadème ?

JOAS
* Un roi sage, ainsi Dieu l'a prononcé lui-même,
Sur la richesse et l'or ne met point son appui,
1280 Craint le Seigneur son Dieu, sans cesse a devant lui

---

1. « Généreuse », qui signifie ici, comme le latin *generosus*, « de noble origine », complète « noble » : Joas sera exemplaire parce qu'il est de la race
royale de David.

Ses préceptes, ses lois, ses jugements sévères,
Et d'injustes fardeaux n'accable point ses frères.

JOAD

Mais sur l'un de ces rois s'il fallait vous régler,
À qui choisiriez-vous, mon fils, de ressembler ?

JOAS

1285 David, pour le Seigneur plein d'une amour fidèle,
Me paraît des plus grands rois le plus parfait modèle.

JOAD

Ainsi dans leurs excès vous n'imiteriez pas
L'infidèle Joram, l'impie Okosias ?

JOAS

Ô mon père !

JOAD

Achevez, dites : que vous en semble ?

JOAS

1290 Puisse périr comme eux quiconque leur ressemble !
Mon père, en quel état vous vois-je devant moi ?

JOAD, *se prosternant à ses pieds.*

Je vous rends le respect que je dois à mon roi.
De votre aïeul David, Joas, rendez-vous digne.

JOAS

Joas ? Moi ?

JOAD, *se relevant.*

Vous saurez par quelle grâce insigne
1295 D'une mère en fureur Dieu trompant le dessein,
Quand déjà son poignard était dans votre sein,
Vous choisit, vous sauva du milieu du carnage.

Vous n'êtes pas encore échappé de sa rage.
Avec la même ardeur qu'elle voulut jadis [1]
1300 Perdre en vous le dernier des enfants de son fils,
À vous faire périr sa cruauté s'attache,
Et vous poursuit encor sous le nom qui vous cache.
Mais sous vos étendards j'ai déjà su ranger
Un peuple obéissant et prompt à vous venger.
1305   Entrez, généreux chefs des familles sacrées,
Du ministère saint tour à tour honorées.

Scène 3

JOAS, JOAD, AZARIAS, ISMAËL,
ET LES TROIS AUTRES CHEFS DES LÉVITES

JOAD *continue.*
Roi, voilà vos vengeurs contre vos ennemis.
Prêtres, voilà le roi que je vous ai promis.

AZARIAS
Quoi ? c'est Éliacin ?

ISMAËL
                    Quoi ? cet enfant aimable...

JOAD
1310 Est des rois de Juda l'héritier véritable,
Dernier-né des enfants du triste Okosias,
Nourri, vous le savez, sous le nom de Joas.
  * De cette fleur si tendre et sitôt moissonnée,
Tout Juda, comme vous, plaignant la destinée,
1315 Avec ses frères morts le crut enveloppé.
Du perfide couteau comme eux il fut frappé ;

---

1. Le pronom relatif « que », plus concis, est ici employé avec le sens de
« lequel » précédé de la proposition « avec ».

Mais Dieu du coup mortel sut détourner l'atteinte,
Conserva dans son cœur la chaleur presque éteinte,
Permit que des bourreaux trompant l'œil vigilant,
1320 Josabet dans son sein l'emportât tout sanglant,
Et n'ayant de son vol que moi seul pour complice,
Dans le temple cachât l'enfant et la nourrice.

JOAS

Hélas ! de tant d'amour et de tant de bienfaits,
Mon père, quel moyen de m'acquitter jamais ?

JOAD

1325 Gardez pour d'autres temps cette reconnaissance.
     Voilà donc votre roi, votre unique espérance.
J'ai pris soin jusqu'ici de vous le conserver :
Ministres du Seigneur, c'est à vous d'achever.
Bientôt de Jézabel la fille meurtrière,
1330 Instruite que Joas voit encor la lumière,
Dans l'horreur du tombeau viendra le replonger.
Déjà, sans le connaître, elle veut l'égorger.
Prêtres saints, c'est à vous de prévenir sa rage.
Il faut finir des Juifs le honteux esclavage,
1335 Venger vos princes morts, relever votre loi,
Et faire aux deux tribus [1] reconnaître leur roi.
L'entreprise, sans doute, est grande et périlleuse.
J'attaque sur son trône une reine orgueilleuse,
Qui voit sous son drapeau marcher un camp nombreux
1340 De hardis étrangers, d'infidèles Hébreux.
Mais ma force est au Dieu dont l'intérêt me guide.
Songez qu'en cet enfant tout Israël [2] réside.
Déjà ce Dieu vengeur commence à la troubler,
Déjà, trompant ses soins, j'ai su vous rassembler.

---

1. Ce sont les deux tribus de Juda et de Benjamin, qui forment depuis le schisme le royaume de Juda, alors que les dix autres tribus forment le royaume d'Israël ou royaume du Nord.   2. Effectivement, le destin des peuples du royaume du Nord et du Sud se joue dans la continuation de la race de David, de laquelle sortira le Messie.

1345 Elle nous croit ici sans armes, sans défense.
      Couronnons, proclamons Joad en diligence.
      De là, du nouveau prince intrépides soldats,
      Marchons en invoquant l'arbitre des combats,
      Et réveillant la foi dans les cœurs endormie,
1350 Jusque dans son palais cherchons notre ennemie.
         Et quels cœurs, si plongés dans un lâche sommeil[1],
      Nous voyant avancer dans ce saint appareil,
      Ne s'empresseront pas à suivre notre exemple ?
      Un roi que Dieu lui-même a nourri dans son
                                          [temple[2],
1355 Le successeur d'Aaron de ses prêtres suivi,
      Conduisant au combat les enfants de Lévi,
      Et dans ces mêmes mains, des peuples révérées,
      Les armes au Seigneur par David consacrées ?
    * Dieu sur ses ennemis répandra sa terreur.
1360 Dans l'infidèle sang baignez-vous sans horreur ;
      Frappez, et Tyriens, et même Israélites.
      Ne descendez-vous pas de ces fameux lévites
      Qui lorsqu'au dieu du Nil le volage Israël
      Rendit dans le désert un culte criminel,
1365 De leurs plus chers parents saintement homicides[3],
      Consacrèrent leurs mains dans le sang des perfides,
      Et par ce noble exploit vous acquirent l'honneur
      D'être seuls employés aux autels du Seigneur ?
         Mais je vois que déjà vous brûlez de me suivre.
1370 Jurez donc, avant tout, sur cet auguste livre,
      À ce roi que le ciel vous redonne aujourd'hui,
      De vivre, de combattre, et de mourir pour lui.

---

1. Tournure où « si » est adverbe d'intensité, placé devant un participe passé de valeur passive. **2.** Les vers 1354-1358 forment une phrase sans verbe principal, qui illustre l'idée du vers 1352. **3.** L'oxymoron rend bien l'action des lévites qui, tuant parents ou amis, punirent sur l'ordre de Moïse les Hébreux qui avaient adoré le veau d'or (le « dieu du Nil » du vers 1363).

AZARIAS

Oui, nous jurons ici pour nous, pour tous nos frères,
De rétablir Joas au trône de ses pères,
1375 De ne poser le fer entre nos mains remis,
Qu'après l'avoir vengé de tous ses ennemis.
Si quelque transgresseur[1] enfreint cette promesse,
Qu'il éprouve, grand Dieu, ta fureur vengeresse :
* Qu'avec lui ses enfants, de ton partage exclus,
1380*Soient au rang de ces morts que tu ne connais plus.

JOAD

Et vous, à cette loi, votre règle éternelle,
Roi, ne jurez-vous pas d'être toujours fidèle ?

JOAS

Pourrais-je à cette loi ne pas me conformer ?

JOAD

Ô mon fils, de ce nom j'ose encor vous nommer,
1385 Souffrez cette tendresse, et pardonnez aux larmes
Que m'arrachent pour vous de trop justes alarmes.
Loin du trône nourri, de ce fatal honneur,
Hélas ! vous ignorez le charme empoisonneur.
De l'absolu pouvoir vous ignorez l'ivresse,
1390 Et des lâches flatteurs la voix enchanteresse.
Bientôt ils vous diront que les plus saintes lois,
Maîtresses du vil peuple, obéissent aux rois ;
Qu'un roi n'a d'autre frein que sa volonté même ;
Qu'il doit immoler tout à sa grandeur suprême ;
1395 Qu'aux larmes, au travail le peuple est condamné,
* Et d'un sceptre de fer veut être gouverné ;
Que s'il n'est opprimé, tôt ou tard il opprime.
Ainsi de piège en piège, et d'abîme en abîme,

---

1. Mot très juste : le « transgresseur » est à l'origine celui qui enfreint un serment prêté à Dieu ou une loi établie par Dieu (latin religieux *lex transgressa*).

Corrompant de vos mœurs l'aimable pureté,
1400 Ils vous feront enfin haïr la vérité,
Vous peindront la vertu sous une affreuse image.
Hélas ! ils ont des rois égaré le plus sage[1].
　　Promettez sur ce livre, et devant ces témoins,
Que Dieu fera toujours le premier de vos soins ;
1405 Que sévère aux méchants, et des bons le refuge,
　* Entre le pauvre et vous, vous prendrez Dieu pour juge,
Vous souvenant, mon fils, que caché sous ce lin,
Comme eux[2] vous fûtes pauvre et comme eux

　　　　　　　　　　　　　　　　　　　[orphelin.

JOAS

Je promets d'observer ce que la loi m'ordonne.
1410 Mon Dieu, punissez-moi si je vous abandonne.

JOAD

Venez : de l'huile sainte il faut vous consacrer.
Paraissez, Josabet : vous pouvez vous montrer.

Scène 4

JOAS, JOAD, JOSABET, ZACHARIE,
SALOMITH, AZARIAS, ISMAËL,
LES TROIS AUTRES CHEFS DES LÉVITES, LE CHŒUR

JOSABET, *embrassant Joad.*
Ô Roi, fils de David !

JOAS
　　　　　　　Ô mon unique mère !
Venez, cher Zacharie, embrasser votre frère.

---

1. Allusion soit à l'impureté de David avec Bethsabée, soit à celle, mêlée
d'idolâtrie, de Salomon (Rois, II, xi, 27 ; et Rois, III, xi, 1-8).　**2.** Le
personnel « eux » renvoie ici librement à la pluralité contenue dans le substantif collectif « le pauvre ».

JOSABET, *à Zacharie.*
1415 Aux pieds de votre Roi prosternez-vous, mon fils.

JOAD, *pendant qu'ils s'embrassent.*
Enfants, ainsi toujours puissiez-vous être unis !

JOSABET, *à Joas.*
Vous savez donc quel sang vous a donné la vie ?

JOAS
Et je sais quelle main sans vous me l'eût ravie.

JOSABET
De votre nom, Joas, je puis donc vous nommer.

JOAS
1420 Joas ne cessera jamais de vous aimer.

LE CHŒUR
Quoi ? c'est là...

JOSABET
C'est Joas.

JOAD
Écoutons ce lévite.

Scène 5

JOAS, JOAD, JOSABET, ETC., UN LÉVITE

UN LÉVITE
J'ignore contre Dieu quel projet on médite.
Mais l'airain menaçant frémit de toutes parts ;
On voit luire des feux parmi des étendards [1] ;

---

1. Voici un de ces vers typiquement raciniens, où deux ou trois mots
(« luire », « feux » et « étendards ») suffisent à camper une atmosphère.

1425 Et sans doute Athalie assemble son armée.
Déjà même au secours toute voie est fermée ;
Déjà le sacré mont où le temple est bâti
D'insolents Tyriens est partout investi.
L'un d'eux, en blasphémant, vient de nous faire
                                                    [entendre
1430 Qu'Abner est dans les fers, et ne peut nous défendre.

JOSABET, *à Joas.*

Cher enfant, que le ciel en vain m'avait rendu,
Hélas ! pour vous sauver j'ai fait ce que j'ai pu.
Dieu ne se souvient plus de David votre père.

JOAD

Quoi ? vous ne craignez pas d'attirer sa colère
1435 Sur vous et sur ce roi si cher à votre amour ?
Et quand Dieu, de vos bras l'arrachant sans retour,
Voudrait que de David la maison fût éteinte,
N'êtes-vous pas ici sur la montagne sainte
Où le père des Juifs[1] sur son fils innocent
1440 Leva sans murmurer un bras obéissant,
Et mit sur un bûcher ce fruit de sa vieillesse,
Laissant à Dieu le soin d'accomplir sa promesse,
Et lui sacrifiant, avec ce fils aimé,
Tout l'espoir de sa race, en lui seul renfermé ?
1445   Amis, partageons-nous. Qu'Ismaël en sa garde
Prenne tout le côté que l'orient regarde ;
Vous, le côté de l'ourse, et vous, de l'occident ;
Vous, le midi. Qu'aucun, par un zèle imprudent,
Découvrant mes desseins, soit prêtre, soit lévite,
1450 Ne sorte avant le temps et ne se précipite ;
Et que chacun enfin, d'un même esprit poussé,
Garde en mourant le poste où je l'aurai placé.

---

1. Comme Racine l'indique en note, ce vers et les suivants résument l'histoire d'Abraham qui, par amour pour Dieu, lui offrit son fils Isaac sur la montagne où devait plus tard s'édifier le temple. Dieu promit à Abraham une postérité aussi nombreuse que les étoiles du ciel, et Abraham, premier des élus à contracter l'Alliance, est considéré comme le père des Juifs. Et des chrétiens.

L'ennemi nous regarde en son aveugle rage,
Comme de vils troupeaux réservés au carnage,
1455 Et croit ne rencontrer que désordre et qu'effroi.
Qu'Azarias partout accompagne le roi.

(À Joas.)

Venez, cher rejeton d'une vaillante race,
Remplir vos défenseurs d'une nouvelle audace ;
Venez du diadème à leurs yeux vous couvrir,
1460 Et périssez du moins en roi, s'il faut périr.

(À un lévite.)

Suivez-le, Josabet. Vous, donnez-moi ces armes.
Enfants, offrez à Dieu vos innocentes larmes.

Scène 6

SALOMITH, LE CHŒUR

TOUT LE CHŒUR *chante*.
*   Partez, enfants d'Aaron, partez.
     Jamais plus illustre querelle
1465   De vos aïeux n'arma le zèle.
*   Partez, enfants d'Aaron, partez.
C'est votre roi, c'est Dieu pour qui vous combattez.

UNE VOIX, *seule*.
     Où sont les traits que tu lances,
     Grand Dieu, dans ton juste courroux ?
1470*   N'es-tu plus le Dieu jaloux ?
*   N'es-tu plus le Dieu des vengeances ?

UNE AUTRE
* Où sont, Dieu de Jacob, tes antiques bontés ?
*   Dans l'horreur qui nous environne,

N'entends-tu que la voix de nos iniquités ?
1475   N'es-tu plus le Dieu qui pardonne ?

TOUT LE CHŒUR
Où sont, Dieu de Jacob, tes antiques bontés ?

UNE VOIX, *seule.*
C'est à toi que dans cette guerre
Les flèches des méchants prétendent s'adresser.
*   « Faisons, disent-ils, cesser
1480   « Les fêtes de Dieu sur la terre.
« De son joug importun délivrons les mortels.
* « Massacrons tous ses saints. Renversons ses autels.
*   « Que de son nom, que de sa gloire
« Il ne reste plus de mémoire.
1485*« Que ni lui ni son Christ ne règnent plus sur nous. »

TOUT LE CHŒUR
Où sont les traits que tu lances,
Grand Dieu, dans ton juste courroux ?
N'es-tu plus le Dieu jaloux ?
N'es-tu plus le Dieu des vengeances ?

UNE VOIX, *seule.*
1490   Triste reste de nos rois,
Chère et dernière fleur d'une tige si belle,
Hélas ! sous le couteau d'une mère cruelle,
Te verrons-nous tomber une seconde fois ?
Prince aimable, dis-nous si quelque ange au berceau
1495 Contre tes assassins prit soin de te défendre ;
Ou si dans la nuit du tombeau
La voix du Dieu vivant a ranimé ta cendre.

UNE AUTRE
D'un père et d'un aïeul contre toi révoltés,
Grand Dieu, les attentats lui sont-ils imputés ?
1500 Est-ce que sans retour ta pitié l'abandonne ?

LE CHŒUR

Où sont, Dieu de Jacob, tes antiques bontés ?
N'es-tu plus le Dieu qui pardonne ?

UNE DES FILLES DU CHŒUR, *sans chanter*.

Chères sœurs, n'entendez-vous pas
Des cruels Tyriens la trompette qui sonne ?

SALOMITH

1505 J'entends même les cris des barbares soldats,
Et d'horreur j'en frissonne.
Courons, fuyons, retirons-nous
À l'ombre salutaire
Du redoutable sanctuaire.

ACTE V

Scène Première

ZACHARIE, SALOMITH, LE CHŒUR

SALOMITH

1510 Cher Zacharie, hé bien ? Que nous apprenez-vous ?

ZACHARIE

Redoublez au Seigneur votre ardente prière.
Peut-être nous touchons à notre heure dernière.
Pour l'horrible combat, ma sœur, l'ordre est donné.

SALOMITH

Que fait Joas ?

ZACHARIE

Joas vient d'être couronné.
1515 Le grand prêtre a sur lui répandu l'huile sainte.
Ô ciel ! dans tous les yeux quelle joie était peinte
* À l'aspect de ce roi racheté du tombeau !
Ma sœur, on voit encor la marque du couteau.
On voit paraître aussi sa fidèle nourrice,
1520 Qui cachée en un coin de ce vaste édifice,
Gardait ce cher dépôt, et n'avait de ses soins
Que les yeux de ma mère et que Dieu pour témoins.
Nos lévites pleuraient de joie et de tendresse,
Et mêlaient leurs sanglots à leurs cris d'allégresse.

1525 Lui, parmi ces transports, affable et sans orgueil,
À l'un tendait la main, flattait l'autre de l'œil,
Jurait de se régler par leurs avis sincères,
Et les appelait tous ses pères ou ses frères.

SALOMITH

Ce secret au dehors est-il aussi semé ?

ZACHARIE

1530 Ce secret dans le temple est encor renfermé.
Des enfants de Lévi la troupe partagée
Dans un profond silence aux portes s'est rangée.
Tous doivent à la fois précipiter leurs pas,
Et crier pour signal : « Vive le roi Joas ! »
1535 Mais mon père défend que le roi se hasarde,
Et veut qu'Azarias demeure pour sa garde.
Cependant Athalie, un poignard à la main,
Rit des faibles remparts de nos portes d'airain.
Pour les rompre, elle attend les fatales machines,
1540 Et ne respire enfin que sang et que ruines.
Quelques prêtres, ma sœur, ont d'abord proposé
Qu'en un lieu souterrain par nos pères creusé
On renfermât du moins notre arche précieuse[1].
« Ô crainte, a dit mon père, indigne, injurieuse !
1545 L'arche qui fit tomber tant de superbes tours,
Et força le Jourdain de rebrousser son cours[2],
Des dieux des nations tant de fois triomphante,
Fuirait donc à l'aspect d'une femme insolente ? »
Ma mère, auprès du Roi, dans un trouble mortel,
1550 L'œil tantôt sur ce prince, et tantôt vers l'autel,
Muette, et succombant sous le poids des alarmes,

---

1. Arche d'alliance précieuse à plus d'un titre : par son matériau (bois de
sétim recouvert d'or), et par son contenu (les tables de la Loi) ! Elle ne pouvait
donc tomber entre les mains des idolâtres, et son transport était réservé
aux fils de Caath, une des branches des lévites (Nombres, IV, 5-6).
2. Rappel de la prise de Jéricho (vers 1545) et du passage à sec du Jourdain.

Aux yeux les plus cruels arracherait des larmes.
Le Roi de temps en temps la presse entre ses bras,
La flatte... Chères sœurs, suivez toutes mes pas ;
1555 Et s'il faut aujourd'hui que notre roi périsse,
Allons, qu'un même sort avec lui nous unisse.

SALOMITH

Quelle insolente main frappe à coups redoublés ?
Qui fait courir ainsi ces lévites troublés ?
Quelle précaution leur fait cacher leurs armes ?
1560 Le temple est-il forcé ?

ZACHARIE

                          Dissipez vos alarmes :
Dieu nous envoie Abner.

Scène 2

JOAD, JOSABET, ZACHARIE, SALOMITH, ABNER,
    ISMAËL, DEUX LÉVITES, LE CHŒUR

JOAD

                          En croirai-je mes yeux,
Cher Abner ? Quel chemin a pu jusqu'en ces lieux
Vous conduire au travers d'un camp qui nous assiège ?
On disait que d'Achab la fille sacrilège
1565 Avait, pour assurer ses projets inhumains,
Chargé d'indignes fers vos généreuses mains.

ABNER

Oui, Seigneur, elle a craint mon zèle et mon courage ;
Mais c'est le moindre prix que me gardait sa rage.
Dans l'horreur d'un cachot par son ordre enfermé,
1570 J'attendais que, le temple en cendre consumé,
De tant de flots de sang non encore assouvie,
Elle vînt m'affranchir d'une importune vie,

Et retrancher des jours qu'aurait dû mille fois
Terminer la douleur de survivre à mes rois.

JOAD

1575 Par quel miracle a-t-on obtenu votre grâce ?

ABNER

Dieu dans ce cœur cruel sait seul ce qui se passe.
Elle m'a fait venir, et d'un air égaré :
« Tu vois de mes soldats tout ce temple entouré,
Dit-elle ; un fer vengeur va le réduire en cendre,
1580 Et ton Dieu contre moi ne le saurait défendre.
Ses prêtres toutefois, mais il faut se hâter,
À deux conditions peuvent se racheter :
Qu'avec Éliacin on mette en ma puissance
Un trésor dont je sais qu'ils ont la connaissance,
1585 Par votre roi David autrefois amassé,
Sous le sceau du secret au grand prêtre laissé.
Va, dis leur qu'à ce prix je leur permets de vivre. »

JOAD

Quel conseil, cher Abner, croyez-vous qu'on doit[1]
[suivre ?

ABNER

Et tout l'or de David, s'il est vrai qu'en effet
1590 Vous gardiez de David quelque trésor secret,
Et tout ce que des mains de cette reine avare
Vous avez pu sauver et de riche et de rare,
Donnez-le. Voulez-vous que d'impurs assassins
Viennent briser l'autel, brûler les chérubins[2],

---

1. Pour souligner la réalité de l'action, on peut au XVIIᵉ siècle, contrairement à l'usage moderne, employer l'indicatif après un verbe d'opinion en proposition interrogative. 2. N'entraient dans le *saint*, où était l'autel des parfums, que les lévites, et dans le *Saint des saints*, où, de part et d'autre de l'arche, étaient les chérubins aux ailes déployées, que le seul grand prêtre. C'est dire si l'arrivée des « impurs » eût été sacrilège.

1595 Et portant sur notre arche une main téméraire,
De votre propre sang souiller le sanctuaire ?

JOAD

Mais siérait-il, Abner, à des cœurs généreux
De livrer au supplice un enfant malheureux,
Un enfant que Dieu même à ma garde confie,
1600 Et de nous racheter aux dépens de sa vie ?

ABNER

Hélas ! Dieu voit mon cœur. Plût à ce Dieu puissant
Qu'Athalie oubliât un enfant innocent,
Et que du sang d'Abner sa cruauté contente
Crût calmer par ma mort le ciel qui la tourmente !
1605 Mais que peuvent pour lui vos inutiles soins ?
Quand vous périrez tous, en périra-t-il moins ?
Dieu vous ordonne-t-il de tenter l'impossible ?
Pour obéir[1] aux lois d'un tyran inflexible,
Moïse, par sa mère au Nil abandonné,
1610 Se vit, presque en naissant, à périr condamné ;
Mais Dieu le conservant contre toute espérance,
Fit par le tyran même élever son enfance.
Qui sait ce qu'il réserve à votre Éliacin,
Et si, lui préparant un semblable destin,
1615 Il n'a point de pitié déjà rendu capable
De nos malheureux rois l'homicide implacable ?
Du moins, et Josabet, comme moi, l'a pu voir,
Tantôt à son aspect je l'ai vu[2] s'émouvoir ;
J'ai vu de son courroux tomber la violence.

---

1. Rupture de construction syntaxique : « pour obéir » a pour sujet un autre
personnage que le « Moïse » du vers 1609.   2. Conformément à la syntaxe du temps, le participe passé « vu » qui renvoie à « homicide », substantif
féminin, mais qui est placé devant un infinitif et précédé d'un complément
d'objet direct, ne s'accorde pas.

1620 Princesse, en ce péril vous gardez le silence ?
Hé quoi ? pour un enfant qui vous est étranger
Souffrez-vous que sans fruit Joad laisse égorger
Vous, son fils, tout ce peuple, et que le feu dévore
Le seul lieu sur la terre où Dieu veut qu'on l'adore[1] ?
1625 Que feriez-vous de plus si des rois vos aïeux
Ce jeune enfant était un reste précieux ?

JOSABET, *tout bas à Joad.*

Pour le sang de ses rois vous voyez sa tendresse :
Que ne lui parlez-vous ?

JOAD

Il n'est pas temps, Princesse.

ABNER

Le temps est cher, Seigneur, plus que vous ne pensez.
1630 Tandis qu'à me répondre ici vous balancez,
Mathan près d'Athalie étincelant de rage
Demande le signal et presse le carnage.
Faut-il que je me jette à vos sacrés genoux ?
Au nom du lieu si saint qui n'est ouvert qu'à vous,
1635 Lieu terrible où de Dieu la majesté repose,
Quelque dure que soit la loi qu'on vous impose,
De ce coup imprévu songeons à nous parer.
Donnez-moi seulement le temps de respirer.
Demain, dès cette nuit, je prendrai des mesures
1640 Pour assurer le temple et venger ses injures.
Mais je vois que mes pleurs et que mes vains discours
Pour vous persuader sont un faible secours ;
Votre austère vertu n'en peut être frappée.
Hé bien ! trouvez-moi donc quelque arme, quelque épée,
1645 Et qu'aux portes du temple, où l'ennemi m'attend,
Abner puisse du moins mourir en combattant.

---

1. Vers tout à fait conforme à la Bible. « Vous n'adorerez plus que dans Jérusalem et devant cet autel », lit-on dans les Rois, IV, XVIII, 4 et 22. L'ordre divin supposait la destruction de tous les autres hauts lieux où les Juifs avaient maintenu des oratoires.

JOAD

Je me rends. Vous m'ouvrez un avis que j'embrasse.
De tant de maux, Abner, détournons la menace.
Il est vrai, de David un trésor est resté[1].
1650 La garde en fut commise à ma fidélité.
C'était des tristes Juifs l'espérance dernière,
Que mes soins vigilants cachaient à la lumière.
Mais puisqu'à votre reine il faut le découvrir,
Je vais la contenter, nos portes vont s'ouvrir.
1655 De ses plus braves chefs qu'elle entre accompagnée ;
Mais de nos saints autels qu'elle tienne éloignée
D'un ramas d'étrangers l'indiscrète fureur.
Du pillage du temple épargnez-moi l'horreur.
Des prêtres, des enfants lui feraient-ils quelque ombre ?
1660 De sa suite avec vous qu'elle règle le nombre.
Et quant à cet enfant si craint, si redouté,
De votre cœur, Abner, je connais l'équité.
Je vous veux devant elle expliquer sa naissance ;
Vous verrez s'il le faut remettre en sa puissance,
1665 Et je vous ferai juge entre Athalie et lui.

ABNER

Ah ! je le prends déjà, Seigneur, sous mon appui.
Ne craignez rien. Je cours vers celle qui m'envoie.

Scène 3

JOAD, JOSABET, ZACHARIE, SALOMITH, ISMAËL,
DEUX LÉVITES, LE CHŒUR

JOAD

Grand Dieu, voici ton heure, on t'amène ta proie.
Ismaël, écoutez.

---

1. Ici commence la ruse de Joad qui parle à double sens : le « trésor » de
David est moins l'argent que David avait amassé pour la construction du
temple (Chroniques, I, XXIX, 2-4), que la personne de Joas, espoir des Juifs.
Mais Joas devenu roi devait faire un très mauvais usage de ce trésor dont
il se servit pour éloigner de Jérusalem Hazaël, roi de Syrie (Rois, IV, XII,
17-18).

(*Il lui parle à l'oreille.*)

JOSABET
Puissant maître des cieux
1670 Remets-lui le bandeau dont tu couvris ses yeux,
Lorsque lui dérobant tout le fruit de son crime,
Tu cachas dans mon sein cette tendre victime.

JOAD
Allez, sage Ismaël, ne perdez point de temps :
Suivez de point en point ces ordres importants.
1675 Surtout qu'à son entrée et que sur son passage
Tout d'un calme profond lui présente l'image.
Vous, enfants, préparez un trône pour Joas.
Qu'il s'avance suivi de nos sacrés soldats.
Faites venir aussi sa fidèle nourrice,
1680 Princesse, et de vos pleurs que la source tarisse.

(*À un lévite.*)

Vous, dès que cette reine, ivre d'un fol orgueil,
De la porte du temple aura passé le seuil,
Qu'elle ne pourra plus retourner en arrière,
Prenez soin qu'à l'instant la trompette guerrière
1685 Dans le camp ennemi jette un subit effroi.
Appelez tout le peuple au secours de son roi,
Et faites retentir jusques à son oreille
De Joas conservé l'étonnante merveille.
Il vient.

Scène 4

JOAD, JOSABET, JOAS,
TROUPE DE PRÊTRES ET DE LÉVITES, ETC.

JOAD *continue.*
Lévites saints, prêtres de notre Dieu,
1690 Partout, sans vous montrer, environnez ce lieu,

Et laissant à mes soins gouverner votre zèle,
Pour paraître attendez que ma voix vous appelle.

(*Ils se cachent tous.*)

    Roi, je crois qu'à vos vœux cet espoir est permis,
Venez voir à vos pieds tomber vos ennemis.
1695 Celle dont la fureur poursuivit votre enfance
Vers ces lieux à grands pas pour vous perdre s'avance.
Mais ne la craignez point. Songez qu'autour de vous
L'ange exterminateur est debout avec nous.
Montez sur votre trône, et... Mais la porte s'ouvre :
1700 Permettez un moment que ce voile vous couvre.

(*Il tire un rideau.*)

Vous changez de couleur, Princesse ?

JOSABET

                              Ah ! sans pâlir,
Puis-je voir d'assassins le temple se remplir ?
Quoi ? ne voyez-vous pas quelle nombreuse escorte...

JOAD

Je vois que du saint temple on ferme la porte.
1705 Tout est en sûreté.

Scène 5

ATHALIE, JOAS, *caché derrière le rideau*,
JOAD, JOSABET, ABNER, SUITE D'ATHALIE

ATHALIE, *à Joad.*
    Te voilà, séducteur[1],
De ligues, de complots, pernicieux auteur,

---

1. Sens étymologique, « qui détourne du droit chemin ». Le mot désigne
dans la bouche de la reine avant tout le rebelle.

Qui dans le trouble seul a mis tes espérances,
Éternel ennemi des suprêmes puissances.
En l'appui de ton Dieu tu t'étais reposé.
1710 De ton espoir frivole es-tu désabusé ?
Il laisse en mon pouvoir et son temple et ta vie.
Je devrais sur l'autel, où ta main sacrifie,
Te... Mais du prix qu'on m'offre il faut me contenter.
Ce que tu m'a promis, songe à l'exécuter.
1715 Cet enfant, ce trésor, qu'il faut qu'on me remette
Où sont-ils ?

JOAD

Sur le champ tu seras satisfaite :
Je te les vais montrer l'un et l'autre à la fois.

(*Le rideau se tire.*)

Paraissez, cher enfant, digne sang de nos rois.
Connais-tu l'héritier du plus saint des monarques,
1720 Reine ? De ton poignard connais du moins ces marques.
Voilà ton roi, ton fils, le fils d'Okosias.
Peuples, et vous, Abner, reconnaissez Joas.

ABNER

Ciel !

ATHALIE, *à Joad.*
Perfide !

JOAD

Vois-tu cette Juive fidèle
Dont tu sais bien qu'alors il suçait la mamelle ?
1725 Il fut par Josabet à ta rage enlevé
Ce temple le reçut, et Dieu l'a conservé.
Des trésors de David voilà ce qui me reste.

ATHALIE

Ta fourbe à cet enfant, traître, sera funeste.
D'un fantôme odieux, soldats, délivrez-moi.

JOAD

1730 *Soldats du Dieu vivant, défendez votre roi.

(*Ici, le fond du théâtre s'ouvre. On voit le dedans du temple, et les lévites armés sortent de tous côtés sur la scène.*)

ATHALIE

Où suis-je ? Ô trahison ! ô reine infortunée !
D'armes et d'ennemis je suis environnée.

JOAD

Tes yeux cherchent en vain, tu ne peux échapper,
Et Dieu de toutes parts a su t'envelopper.
1735 Ce Dieu que tu bravais en nos mains t'a livrée.
   * Rends-lui compte du sang dont tu t'es enivrée.

ATHALIE

Quoi ? la peur a glacé mes indignes soldats ?
Lâche Abner, dans quel piège as-tu conduit mes pas !

ABNER

Reine, Dieu m'est témoin...

ATHALIE

                              Laisse là ton Dieu, traître,
1740 Et venge-moi.

ABNER, *se jetant aux pieds de Joas.*
                    Sur qui ? Sur Joas ! sur mon maître !

ATHALIE

Lui Joas ? lui ton roi ? Songez, méchants, songez
Que mes armes encor vous tiennent assiégés.

J'entends à haute voix tout mon camp qui m'appelle.
On vient à mon secours. Tremblez, troupe rebelle.

Scène 6

ISMAËL, JOAS, JOAD, ATHALIE, ETC.

ISMAËL, *à Joad.*

1745 Seigneur, le temple est libre et n'a plus d'ennemis.
L'étranger est en fuite, et le Juif est soumis.
* Comme le vent dans l'air dissipe la fumée,
La voix du Tout-Puissant a chassé cette armée.
Nos lévites, du haut de nos sacrés parvis,
1750 D'Okosias au peuple ont annoncé le fils,
Ont conté son enfance au glaive dérobée,
Et la fille d'Achab dans le piège tombée.
Partout en même temps la trompette a sonné ;
Et ses sons et leurs cris dans son camp étonné
1755 Ont répandu le trouble et la terreur subite
Dont Gédéon[1] frappa le fier Madianite.
Les Tyriens, jetant armes et boucliers,
Ont par divers chemins disparu les premiers.
Quelques Juifs éperdus ont aussi pris la fuite ;
1760 Mais de Dieu sur Joas admirant la conduite,
Le reste à haute voix s'est pour lui déclaré.
Enfin d'un même esprit tout le peuple inspiré,
Femmes, vieillards, enfants, s'embrassant avec joie,
Bénissent le Seigneur et celui qu'il envoie[2].

---

1. Gédéon et trois cents hommes, sonnant de la trompette, prirent d'assaut le camp des Madianites (Bédouins nomades), et les tuèrent tous (Juges, VII, 1-22).   2. C'est aussi l'accueil de Jérusalem au Christ salué par le cri : « Béni soit celui qui vient au nom du Seigneur », saint Matthieu, XXI, 9.

1765 Tous chantent de David le fils ressuscité.
Baal est en horreur dans la sainte cité.
De son temple profane on a brisé les portes.
Mathan est égorgé.

ATHALIE

Dieu des Juifs, tu l'emportes !
Oui, c'est Joas, je cherche en vain à me tromper.
1770 Je reconnais l'endroit où je le fis frapper ;
Je vois d'Okosias et le port et le geste :
Tout me retrace enfin un sang que je déteste.
David, David triomphe ; Achab seul est détruit.
Impitoyable Dieu, toi seul as tout conduit.
1775 C'est toi qui me flattant d'une vengeance aisée,
M'as vingt fois en un jour à moi-même opposée,
Tantôt pour un enfant excitant mes remords,
Tantôt m'éblouissant de tes riches trésors
Que j'ai craint de livrer aux flammes, au pillage.
1780 Qu'il règne donc ce fils, ton soin et ton ouvrage ;
Et que pour signaler son empire nouveau,
On lui fasse en mon sein enfoncer le couteau.
Voici ce qu'en mourant lui souhaite sa mère :
Que dis-je, souhaiter ? Je me flatte, j'espère
1785 Qu'indocile à ton joug, fatigué de ta loi,
Fidèle au sang d'Achab qu'il a reçu de moi,
Conforme à son aïeul, à son père semblable,
On verra de David l'héritier détestable
Abolir tes honneurs, profaner ton autel,
1790 Et venger Athalie, Achab et Jézabel.

JOAD

Qu'à l'instant hors du temple elle soit emmenée,
Et que la sainteté n'en soit point profanée.
Allez, sacrés vengeurs de vos princes meurtris,
De leur sang par sa mort faire cesser les cris.
1795 Si quelque audacieux embrasse sa querelle
Qu'à la fureur du glaive on le livre avec elle.

Scène 7

Joas, Joad, Josabet, Abner, etc.

JOAS

Dieu, qui voyez mon trouble et mon affliction,
Détournez loin de moi sa malédiction,
Et ne souffrez jamais qu'elle soit accomplie.
1800 Faites que Joas meure avant qu'il vous oublie[1].

JOAD, *aux lévites.*

Appelez tout le peuple, et montrons-lui son roi :
Qu'il lui vienne en ses mains renouveler sa foi.
Roi, prêtres, peuple, allons, pleins de reconnaissance,
De Jacob avec Dieu confirmer l'alliance,
1805 Et saintement confus de nos égarements,
Nous rengager à lui par de nouveaux serments.
Abner, auprès du Roi reprenez votre place.
Hé bien ? de cette impie a-t-on puni l'audace ?

Scène 8

Un lévite, Joas, Joad, etc.

UN LÉVITE

Le fer a de sa vie expié les horreurs.
1810 Jérusalem, longtemps en proie à ses fureurs,
De son joug odieux à la fin soulagée,
Avec joie en son sang la regarde plongée.

---

1. Joas ne mourra pas avant que la malédiction d'Athalie se réalise ; au contraire, il la réalisera. Il laissera en effet lapider Zacharie et sa mort (il sera tué par ses serviteurs) sera le châtiment de sa faute (Chroniques, II, XXIV, 24-26).

JOAD

Par cette fin terrible, et due à ses forfaits,
Apprenez, Roi des Juifs[1], et n'oubliez jamais
1815 Que les rois dans le ciel ont un juge sévère,
  * L'innocence un vengeur, et l'orphelin un père.

---

1. Expression tout à fait correcte puisque « Juifs » s'applique d'abord aux Judéens, habitants du royaume de Juda, par opposition aux sujets du royaume du Nord (Rois, IV, XVI, 6).

DOSSIER

COMMENTAIRES

Dramaturgie

ACTION (RÉSUMÉ)

Avec son intrigue simple, « sans amour, sans épisodes, sans confidents [1] », *Athalie* est une des tragédies de Racine les plus chargées d'action. Les plus sonores aussi, grâce aux bruits divers (son des trompettes, cris des soldats), qui font que même les récits s'animent.

En début d'acte I, on est au temple de Jérusalem, dans l'appartement de Joad. Abner, officier d'Athalie resté fidèle au vrai Dieu, prévient le grand prêtre qu'Athalie, soutenue par Mathan, Juif apostat devenu prêtre de Baal, songe à l'assassiner. Joad qui ne craint pas la reine fait appel à la foi d'Abner, rappelle les miracles de Dieu pour les Hébreux et, surtout, lui annonce pour les heures qui viennent un prodige tout aussi étonnant (scène 1). Cet événement, on l'apprend dans la scène 2 où Joad rencontre sa femme, sera la révélation de la véritable identité d'Éliacin, petit-fils d'Athalie caché au temple et sauvé par Josabet des mains de la reine (récit du massacre). Dans

---

1. *Mémoires* [...] *sur la vie et les ouvrages de Jean Racine*, par Louis Racine (1747), cités dans *Œuvres complètes* de Racine, Paris, Gallimard, « Bibliothèque de la Pléiade », édition de R. Picard, 1950, tome I, p. 75.

la scène 3, Josabet accueille les filles du chœur qui, prolongeant les propos de Joas, chantent les bienfaits de Dieu pour son peuple (scène 4).

Acte II. En allant au temple (scène 1), Josabet et les choreutes sont soudain arrêtées par Zacharie, fils de Josabet : Athalie qui semble chercher quelqu'un a pénétré dans la partie interdite du temple — d'où elle a été aussitôt chassée par Joad, mais a eu le temps de voir Éliacin (scène 2). La reine, d'ailleurs, arrive sur les pas de Zacharie, et convoque Mathan (scène 3). C'est toutefois Abner qu'on voit d'abord et qui lui explique pourquoi Joad l'a exclue du temple (scène 4). Puis, devant lui et Mathan, Athalie dévoile son « trouble » : tout lui a réussi, mais elle a vu en rêve sa mère Jézabel qui lui a annoncé que le « cruel Dieu des Juifs » la poursuivrait de sa vengeance ; plus grave encore, elle a rêvé qu'un jeune prêtre l'assassinait. Or ce jeune prêtre a les traits de l'enfant aperçu au temple et que, malgré les instances de Mathan qui voudrait qu'on le tuât de suite, elle se décide à faire venir devant elle (scène 5), tout en mettant ses mercenaires tyriens en alerte (scène 6). Voici donc la première rencontre d'Athalie et de Joas, en présence de Josabet (scène 7). À la reine qui veut savoir qui il est et ce qu'il fait dans le temple, l'enfant répond calmement ; puis, lorsque Athalie, prise d'une « pitié » mystérieuse, lui offre de le prendre comme héritier, il s'anime, proclame sa foi dans le vrai Dieu et refuse cette « mère » impie, à la grande colère de la reine qui, après avoir justifié l'assassinat de ses petits-enfants, quitte les lieux. Non sans souligner qu'elle n'en restera pas là. Joad caché qui a tout entendu réconforte sa femme et l'enfant (scène 8), ce que fait aussi le chœur en célébrant les mérites et la « naissance secrète » de Joas dont la vertu ne laissera pas Dieu indifférent (scène 9).

Acte III. Malgré la colère de Zacharie, Mathan veut rencontrer Josabet en secret (scènes 1 et 2), et, en attendant, confie à son ami Nabal qu'il a réussi à convaincre la reine de se faire livrer Joas en « otage ». Mais il est sûr que Joad refusera. Alors, la reine incendiera le temple, et il pourra enfin réaliser ses ambitions dont, dans une espèce d'autoportrait, il retrace le cheminement tortueux (scène 3). Comme il le prévoyait, Josabet qu'il flatte en vain refuse de lui livrer Joas (scène 4), lors d'un entretien qu'interrompt brusquement Joad qui le chasse avec fureur (scène 5). Le danger paraît si grave à Josabet qu'elle propose à son mari de s'enfuir avec l'enfant à Samarie ; mais Joad décide au contraire d'« avancer » le sacre de Joas (scène 6). Le temple confié aux lévites est donc fermé ; puis le grand prêtre, soutenu par la voix du chœur et l'orchestre, prophétise l'avènement de la Jérusalem nouvelle, avènement qui sera la conséquence du couronnement de Joas (scène 7). Le chœur s'interroge sur l'issue de la bataille qui se prépare ; puis, reprenant les thèmes développés par Joad, exprime sa foi dans le devenir heureux de Sion (scène 8).

Acte IV. Il commence par les préparatifs du sacre (scène 1), et se poursuit par l'« instruction » de Joas que le grand prêtre interroge sur ses devoirs de roi, avant de lui révéler son vrai nom et de le saluer en souverain légitime (scène 2). Il le fait ensuite reconnaître aux soldats du temple, qu'il encourage à la lutte par le rappel des hauts faits du passé, et qui prêtent serment au jeune prince (scène 3), également salué par Josabet et Zacharie (scène 4). Un lévite accouru en hâte coupe ces effusions : l'armée d'Athalie cerne le temple, Abner est prisonnier ! Deux nouvelles que Joad accueille avec calme : Dieu ne permettra pas la victoire de l'impie, et le temple bien défendu ne sera pas violé (scène 5). Le chœur encourage les guerriers gagnant leur poste de combat, en appelle une fois de plus à Dieu et, au bruit des trompettes ennemies, se réfugie dans le temple (scène 6).

Acte V. Zacharie fait au chœur le récit de la dernière partie du sacre de Joas, pendant qu'à l'extérieur la reine attend les machines de guerre pour attaquer (scène 1). Nouveau coup de théâtre : Abner, libéré par Athalie, apporte l'ultimatum de la reine qui exige qu'on lui livre Joas ainsi que le trésor déposé au temple par David. Deux demandes que le prudent Abner, qui ignore toujours que Joas a survécu au massacre, conseille d'accepter. Joad feint alors de se ranger à son avis et annonce qu'il recevra la reine et lui montrera le double « trésor » du temple (scène 2). En fait, il lui prépare un véritable guet-apens : les portes seront fermées dès qu'elle aura passé le seuil, la trompette jettera la confusion chez ses Tyriens et Joas caché derrière un rideau lui sera montré par surprise (scènes 3 et 4). La reine accourt et, effectivement, reconnaît en Joas son petit-fils. Quoique aussitôt abandonnée par Abner qui se prosterne devant l'enfant, elle fait pourtant encore front car ses soldats s'approchent (scène 5). Ils ne peuvent pourtant plus rien pour elle, car Ismaël, un des officiers de Joad, vient raconter la débandade des Tyriens et le ralliement de tous les Juifs. Il ne reste à la reine qu'à avouer sa défaite, avant que Joad l'expulse du lieu saint afin qu'elle soit exécutée (scène 6). La tragédie se clôt par l'exhortation du grand prêtre demandant au peuple de « confirmer » son pacte avec Dieu, ainsi que par l'annonce de la mort de la reine (scènes 7 et 8).

Temps et lieu

On l'aura deviné, rien ne va lentement dans *Athalie*. Sauf en procession — pour aller d'un pas solennel au temple (vers 309), on n'y marche pas, on y court. Et le plus souvent « hors d'haleine » (vers 380). Avec ses « Revenez », « Demeurez », « Entrez » ou « Rentrons » (vers 661, 459, 1306 et 749), *Athalie* est donc une tragédie où chaque scène importante commence ou finit par des déplacements : courses de Zacharie qui porte bonnes et mauvaises nouvelles ; allées et venues des autres personnages (irruption de la reine chez le grand prêtre, fuite de Josabet, repli de Mathan devant Joad, retour inopiné d'Abner)...

Dynamisme de la démarche, large utilisation de l'espace : si la dernière tragédie de Racine respecte l'unité de lieu, contrairement à *Esther* qui se déroule dans une chambre, une salle du trône et des jardins, elle en exploite toutes les possibilités grâce à une topographie toujours orientée vers la vérité divine. Mais comme la vérité éclate chez Racine par contraste avec le non-tragique, il y a d'abord l'extérieur de la scène, qu'on ne voit pas mais dont on nous parle : Samarie, capitale du royaume d'Israël, et le palais, demeure d'Athalie, qui, tous deux, échappent à la catastrophe. Samarie, parce qu'elle pourrait être un refuge pour Joas (vers 1066-1076) ; le palais parce que, si la reine y était restée, elle ne courrait aucun danger. Or Athalie le quitte deux fois, et chaque fois pour des lieux de malheur.

Ces lieux sont le vestibule de Joad, centre de la tragédie, puis le temple de Jérusalem lui-même, dont le « *dedans* » n'est vu qu'à la fin, lors de la sortie des lévites (acte V, scène 5). Bien que séparés matériellement, ils ne font qu'un, car aller chez Joad revient toujours à pousser la porte de Dieu. C'est bien ainsi qu'Athalie l'entend. Affolée par son rêve, elle projette de saisir Joad à l'autel, ou de briser les portes du temple (vers 21-24 et 217-220). Avant même la Pentecôte, le siège a commencé et, déjà, Joad a doublé la garde (vers 209-213). La reine toutefois ne veut pas qu'encercler le temple, elle veut aussi y *entrer*. Et au plus profond encore, dans le coin des lévites que, faute de pouvoir le violer, elle remplace aussitôt par le vestibule de Joad.

Là n'est pas sa « place », dit Agar (vers 459).

L'acte II illustre cela puisqu'elle y rencontre Joas dont elle soupçonne l'illustre naissance. Elle le quitte « contente », sûre de revenir. Ironie tragique pour une reine qui a des accents déjà césariens (« J'ai voulu voir, j'ai vu ») : elle pense *tenir* le grand prêtre, mais c'est Joad qui la tient car, pendant qu'elle parlait, il l'écoutait (vers 736-742).

L'inversion des rôles ne fait que s'accentuer par la suite, car plus la reine investit le lieu sacré, plus Joad le lave de sa présence. Au regard de cette expulsion amorcée fin de l'acte II par la purification du sol, les assauts d'Athalie sont dérisoires. Parce que c'est chez Dieu qu'on agit : clôture du temple (III, 7) ; accélération de la première partie du sacre, occupation des portes (IV, 1, 2, 3, et 5) et fin du couronnement (V, 1). C'est l'heure où la reine n'attend plus que ses « fatales machines » pour forcer les lieux (vers 1539). Elle y sera sous peu, mais dans la main de Dieu qui « a su [l]'envelopper » (vers 1736). Le piège a donc bien changé de lieu, en même temps que le temple desserrait l'étau : voilà la maison de l'Éternel « libre », sinon plus vaste puisque, Mathan et la reine tués, presque tous les Juifs s'y retrouvent.

Chez Racine, l'espace, visible ou invisible, est toujours dramatique, mais aucune de ses tragédies, sauf peut-être *Bajazet*, ne l'a rempli de tant de violence. C'est que Joad, pour conquérir un lieu, doit aussi maîtriser le temps. Le temps « est cher » pour lui (vers 1629), et les vingt-quatre heures de la tragédie sont ici un trop long délai. Le sort d'Athalie sera en réalité une affaire d'heures, sinon de minutes.

Elle règne depuis « huit ans » ; mais, depuis « deux jours », rôde autour du temple, terrorisée par un songe (vers 72). Pour Joad, « Les temps sont accomplis [...], il faut parler » (vers 165). Et sans tarder, si bien que la tragédie débute dans un climat d'affolement que suggèrent bien les « aujourd'hui » répétés (vers 25, 197, 261 et 272). « Ce jour », dit aussi Abner (vers 164). Grand jour, donc, que celui qui est l'occasion unique (il est « solennel », ne revient qu'une fois l'an), et où le grand prêtre convoque Abner au temple pour la « troisième heure » (vers 153-155), soit huit heures du matin. Balayant le passé récent — temps d'Athalie, temps d'ignominie —, il fera sonner l'heure de Dieu. Restaurant du même coup le vrai temps, temps de David réincarné en Joas ; temps, également, des prières sereines où le peuple, houle paisible, « inondait les portiques » (vers 8). Mais dans l'immédiat, c'est d'assaut qu'il s'agit.

« Voici notre heure », annonce d'ailleurs Josabet au début de l'acte II, après le coup de force d'Athalie. Tout va alors se précipiter : la reine qui a vu l'enfant au temple arrive chez Joad, raconte son rêve, décide de revoir Joas, met ses Tyriens en alerte, interroge Joas et laisse entendre qu'elle l'a identifié. Son « Nous nous reverrons » indique qu'il est en grand danger (vers 736), et le chœur lui-même, qui chantait l'éternité de l'amour divin en fin de l'acte I, entre dans l'actualité : l'innocence est menacée, et le temps paraît long à l'opprimé...

Avec l'acte suivant, le chœur comprend qu'au contraire le temps tourne. Presque trop rapidement, et en apparence pas à l'avantage des élus. « Désordre extrême », disent les jeunes filles (vers 1205) : Abner n'a-t-il pas disparu ? la reine ne veut-elle pas « sur l'heure » Joas pour « otage » (vers 982 et 900) ? Mais Mathan rêve quand il se donne jusqu'à la « fin du jour » pour abattre Joad (vers 1041). De même qu'Athalie a perdu la possession de l'espace, ses troupes ne peuvent plus compter sur la durée. Le grand prêtre a en effet décidé d'avancer le couronnement et, passé la scène de la prophétie, exécute son dessein, avec le début du sacre. À « d'autres temps » les joies de l'enfant : « bientôt », Athalie voudra le tuer (vers 1325 et 1329).

Ce moment est celui des plus grandes menaces. La reine a cerné le temple avec ses soldats, et le chœur s'y est réfugié. Est-ce l'« heure dernière » (Zacharie, au vers 1512) ? Non pas, puisque Joas a été couronné et Abner libéré. Il y a bien le second ultimatum de la reine qui veut l'enfant et le trésor ; il y a aussi l'hésitation d'Abner qui voudrait bien le « temps de respirer » (vers 1638). Mais est-ce que cela tient devant le vent de Dieu ? « Grand Dieu, voici ton heure », dit Joad sans souffler à son maître (vers 1668). Le reste — dévoilement de Joas et mort de l'usurpatrice — se réalise donc aussi promptement que les éclairs de Dieu.

En somme, la tragédie ne multiplie pas les adverbes d'urgence en vain. Elle ne dure, du lever du soleil, de l'arrivée d'Abner chez Joad à la prière au temple qui voit l'exécution de la reine, que l'espace d'une aurore sanglante, soit deux ou trois heures au maximum. Et, de même que, topographiquement parlant, Racine a procédé par concentration très rapide, il a progressivement accéléré l'écoulement du temps.

Les grands personnages

MATHAN ET ABNER

MATHAN et ABNER forment un couple par contraste. Et pas neuf chez Racine, car Abner est le Burrhus d'Athalie qu'il respecte tant qu'il la croit légitime, et Mathan est son Narcisse. Narcisse trahit Britannicus, et Mathan est tout en « fausse douceur » (vers 45) ; rien ne limite selon Narcisse le pouvoir des princes, et Mathan les dispense du soin d'exercer la « lente justice » (vers 567) ; Narcisse méprise le peuple, et Mathan ne le méprise pas moins. Abner est en revanche l'homme loyal. Dans une tragédie où les noms sont donnés en fonction des fautes et des vertus, il porte le nom de ce cousin de Saül rallié à David qui le pleura lorsqu'il mourut (Rois, I, XIV ; II, II et III), tandis que Mathan a celui d'un ministre de Baal réel, symbole de ces prêtres apostats que Racine mentionne dans son manuscrit[1]. L'un est plein de bravoure et tout

---

1. Souvent reproduit dans les éditions précédentes d'*Athalie* (P. Mesnard), ce manuscrit conservé dans le *Fonds français* de la Bibliothèque nationale, à Paris (cote 12887), porte, sous l'indication « Prêtres apostats. Mathan »,

prêt à mourir pour le temple après sa libération ; l'autre recule devant un enfant (« Mon fils, nous attendrons [...] », dit-il prudemment à Zacharie). De plus, alors qu'Abner, l'homme « noble » (vers 457), est tout en nuances et connaît son devoir vis-à-vis des hommes et de Dieu (il est toujours de bon conseil devant la reine et Joad qu'il ne pousse jamais à des actions extrêmes), Mathan qui n'a que deux idées en tête (s'enrichir et évincer Joad) est un personnage plus satirique que tragique.

Au vrai, il détonne dans *Athalie* où ses outrances contreviennent à la loi aristotélicienne de la pondération qui exige qu'un personnage ne soit ni tout à fait bon ni tout à fait vicieux. Et point n'est besoin, pour lui donner une profondeur psychologique qu'il n'a pas, de lui trouver, comme R. Barthes dans son *Sur Racine*, les sentiments ambigus d'un exclu qui ne vivrait que de sa haine. Autre différence avec Abner, Mathan a des ancêtres ailleurs que dans l'œuvre de Racine. Certes, venu de la Bible, il ressemble déjà à l'Aman d'*Esther* dont il partage la cruauté. Son « On le craint, tout est examiné », à propos de Joas, rappelle en effet le « Mardochée est coupable, et que faut-il de plus » d'Aman. Mais comme cet Aman a le côté matamore de ses homonymes du théâtre biblique du XVIᵉ siècle, qui exploita largement le thème d'Esther (l'*Aman* de Rivaudeau, par exemple, en 1556, celui de Roillet, en 1566, ou l'*Esther* de Matthieu, en 1585), c'est bien au ministre d'Assuérus, tel qu'il monte en scène au XVIᵉ siècle, que ses rodomontades font penser ; en voici un exemple (vers 453-455) :

> Mes richesses des rois égalent l'opulence,
> Environné d'enfants, soutiens de ma puissance,
> Il ne manque à mon front que le bandeau
>   [royal [...]

---

la référence « Ézéchiel C 8. Jérémie C 32, vers 34. Idolâtrie des prêtres ». Il s'agit du chapitre VIII, où le prophète a la vision des « abominations » d'« hommes » placés entre le vestibule et l'autel du temple (les prêtres), et qui « adoraient le soleil levant » (v. 16-17). La même idolâtrie est signalée au chapitre XXXII, v. 34, de Jérémie.

Racine n'a donc pas totalement innové en portant à la scène le familier intéressé de reines ou de rois qu'aveugle une tyrannie sans frein (autre topique du théâtre du XVIe siècle, qui se souvient en cela des tragédies de Sénèque). Il est possible également que Mathan soit un personnage plus spécialement destiné aux élèves de Saint-Cyr, qui avaient besoin d'une leçon simple, et pour lesquelles il dut incarner le méchant type au sens familier du mot, dont le spectaculaire châtiment n'était que trop attendu.

ATHALIE, LE POIGNARD ET LE REGARD

Voici, après les protectrices (Jocaste, Clytemnestre), les infidèles (Roxane, Phèdre), la très fidèle et presque romanesque (Esther), la dernière grande reine de Racine. Seule Agrippine l'annonce un peu. Celle-ci est une empoisonneuse, et celle-là tue avec le couteau ; l'une a perdu le pouvoir, l'autre va le perdre, et toutes deux, également habiles en manœuvres, ne reculent devant rien. Mais Racine, qui a peint la « férocité » d'Agrippine (préface de *Britannicus*) sans nuances excessives, modère sensiblement celle d'ATHALIE.

Elle est fille et reste mère. La fille n'oublie pas la mort de Jézabel, et sa vengeance se comprend en un sens. La mère et sa « tendresse » (vers 724), perdues depuis la mort d'Okosias, se réveillent devant Joas, dans une des scènes les plus tendues de Racine. Une des plus difficiles à jouer aussi, parce que au moment où Athalie semble céder à la « pitié » (vers 654) il faut que l'actrice choisisse entre l'appel du sang et la cruauté. La manière dont elle relancera l'enfant en disant : « Vous sortez ? » dépend de ce choix : ou amour maternel, et alors l'offre d'adopter Joas paraîtra sincère ; ou haine, et alors l'adoption ne sera qu'une ruse. De toute manière, le flottement existe chez le personnage de la reine, et il est bien vu par

Mathan quand il dit qu'elle reste malgré tout
« femme » (vers 876).

L'Histoire le montre, le rôle d'Athalie demande
plutôt des actrices confirmées. Et, disons-le, des
femmes d'un certain âge, bien que Rachel n'ait eu
que 27 ans quand elle le tint pour la première fois en
1847, ou d'un talent mûri : 36 ans pour Adrienne
Lecouvreur en 1728, et 43 pour Mlle Clairon, en
1770. Cas extrêmes, celui de la comédienne Sylvie en
1961 (76 ans), et, plus reculé dans le temps, celui de
Sarah Bernhardt qui a le même âge en 1920.

Le jeu de la « grande » Sarah Bernhardt, qui devait
pour longtemps fixer le personnage, était d'ailleurs
remarquable. Amputée d'une jambe, elle se déplaçait
comme le pape, sur un trône porté par des serviteurs,
et la majesté des propos de la reine n'en était que plus
saisissante. L'idée fut reprise par Marie Marquet, en
1939, à la Comédie-Française. Avec moins de bonheur toutefois, selon un journal de l'époque, qui
notait : « Momie royale sortie de son sarcophage ».

C'était évidemment un peu tôt pour une mort qui
ne se produit qu'à l'acte V et laisse dans les autres
Athalie bien vivante. Même lors de son entrée, à
l'acte II, où elle semble lasse de lutter. Une « vieil-
larde », dit Giraudoux. Le mot est un peu fort, mais
il est certain qu'Athalie sent alors la femme usée et
que, signe d'abattement profond chez Racine, elle
s'assied. On pense naturellement à Phèdre et au
« N'allons point plus avant ». Athalie ira pourtant, et
gardera sa fierté jusqu'au bout où, raillant le Dieu des
Juifs, elle prédit la lâcheté de Joas qui fera lapider
Zacharie. Cette prophétie n'est pas dans la Bible, non
plus que son rêve ou l'entrevue avec Joas. De plus,
dans les Rois et les Chroniques, le complot se trame
sans qu'elle le devine, tandis que chez Racine, alar-
mée tout autant par ses nuits sans sommeil que par
Mathan, elle sait ce qui se prépare (vers 48-56), et
convoque ses Tyriens en vrai chef de guerre, autre
qualité ou défaut que la Bible ne lui prête pas.

L'Écriture ne donnait en fait à Racine qu'un nom, une hérédité et un crime. Et un cri, ce fameux « Trahison, trahison ! » qu'elle pousse en voyant Joas à sa place. Creusant ces données réduites, il en a tiré un personnage qui, présent sur scène ou absent, n'est jamais muet. Égal sur ce point à Dieu qui est son véritable adversaire. C'est pourquoi l'Athalie de Racine est encore plus biblique qu'on le pense. Entendons par là qu'elle est bien dans l'esprit de la Première Alliance, histoire d'amour et de haine, où, sans cesse, le Dieu jaloux punit le « volage Israël » (vers 1363).

Dans la hiérarchie du crime, la reine qui est « avare » (vers 1591) veut déjà l'argent du temple. Faute nullement mineure chez elle où, d'abord indépendante de la capture de Joas (vers 49-50), elle lui est ensuite deux fois associée (vers 1583-1587 et 1715). Mais Joad veille, on ne touche pas aux biens de Dieu, et la reine n'aura ni le trésor ni l'enfant. De la cupidité à l'idolâtrie, il n'y a qu'un pas. Mais quel pas, puisque c'est à cause de la reine qu'un « petit nombre » de Juifs seulement se rend encore au temple (vers 25) ! Aussi, de tous les qualificatifs qui la désignent par la suite (« cruelle », « injuste » ou « insolente »), celui d'« impie » revient le plus souvent.

Impie, et non pas « infidèle ». L'infidélité peut ne pas durer ; elle peut être passive, sans violence, alors que l'impiété qui est agressive entraîne l'offense la plus grave. Or Athalie construit un temple pour Baal, fait de Mathan un grand prêtre rival de Joad et prône la coexistence des deux religions. C'est pourquoi l'impiété provoque en retour la vengeance des hommes pieux, et à la femme qui a le « poignard à la main » (vers 244) répond, comme le devine Mathan, l'enfant « au poignard à la main » (vers 557). Le célèbre songe prémonitoire, scène à la Goya, dit Charles Mauron (mais c'est aussi un *topos* que l'on trouve chez Corneille, où Pauline rêve que son père tue Polyeucte), a dit vrai : la reine, même en dormant, s'occupe d'armes et a le regard perçant.

Athalie, c'est donc le *poignard* et le *regard*. Le premier est biblique ; et le second, très racinien. Le poignard appartient au corps agité de la reine et désigne l'action passée ou présente (mort des enfants d'Okosias, siège du temple). Le regard qui exprime la violence intérieure définit, comme toujours chez Racine, les tendances profondes du personnage. Ce regard est d'abord celui d'une femme qui en impose. Il séduit par son éclat (vers 679 : « Venez dans mon palais, vous y verrez ma gloire »), et désire être admiré (vers 693 : « Vous voyez, je suis reine »). Ce regard, ensuite, se souvient (vers 711 : « J'aurais vu massacrer et mon père et mon frère »), et, dans ce souvenir, brille de colère en se fixant sur le temple ou sur Joad (vers 54 et 407). En somme, narcissisme et despotisme mêlés, ce regard est celui du maître. Mais il ne réussit pas à briller durablement, et la défaite d'Athalie se lit également dans ses yeux.

Naît alors un autre regard. Regard passif sous des images aussi obsédantes que celles du sac de Troie pour Andromaque, la reine dort vraiment les yeux grands ouverts et plie devant un enfant qui revient et fait la loi (vers 521 : « Deux fois mes tristes yeux se sont vu retracer »). Après l'intrusion au temple, elle sait qu'elle n'a pas vraiment rêvé (vers 535 : « J'ai vu ce même enfant dont je suis menacée »). Et pourtant, elle veut se reprendre, vérifie sa bonne vue dans les yeux des autres (vers 545-546) :

> Mais cet enfant fatal, Abner, vous l'avez vu :
> Quel est-il ? De quel sang ? Et de quelle tribu ?

Elle décide de ne plus s'effrayer (vers 585 : « [...] il faut revoir cet enfant de plus près »), et se dit à nouveau clairvoyante (vers 610). En vain, car, si elle se croit une seconde maîtresse du jeu après l'entrevue avec Joas (vers 736 : « [...] nous nous reverrons »), elle a déjà perdu le pouvoir de commander du regard. Son

Ô ciel ! plus j'examine et plus je le regarde,

annonce donc la preuve dernière :

Je vois d'Okosias et le port et le geste.

Pour la mener à ce point noir, ses adversaires ont choisi la tactique du « bandeau » (vers 1670), mot désignant à la fois la couronne de Joas et le piège tendu à Athalie. Exécutée par Josabet, cette tactique consiste à tromper l'œil « vigilant » de la reine en cachant Joas lors de l'assassinat des enfants d'Okosias (vers 1229), à surveiller l'enfant pendant qu'il parle avec elle (vers 618), ou à en appeler à l'aide et au regard de Dieu (vers 731 et 1670). Toujours, elle consiste à échapper aux yeux de la reine, à les tuer pour fixer quelqu'un d'autre, Joas qui pourra enfin regarder ses sujets dans les yeux. Ce qu'il fait, paisiblement, d'un œil « affable » après son couronnement (vers 1525), sauvé par la violence de Joad qui est cette force qui aveugle et défait les rois.

JOAD ET JOAS, OU LA PAROLE « DÉPLIÉE »

JOAD couvrant (couvant ?) JOAS, c'est d'abord une formidable colère qui balaie la scène. Mounet-Sully (1841-1916), un des grands titulaires du rôle, était réputé pour la rage — « violente et humaine », notait-il en 1883 dans son exemplaire de travail (Bibliothèque de l'Arsenal) — qui le secouait à la fin de l'acte III, lorsque Joad voue Mathan aux chiens de Jézabel. « Toute la synagogue se ruait contre l'impie », disait encore de lui R. Kemp en 1939. Il a codifié une des grandes lectures du rôle qui oscilla longtemps entre l'hystérie d'un Talma (1763-1826), acteur célèbre pour ses transes lors de la prophétie, et le fanatisme « clérical » cher à certaines interprétations de la fin du XIXe siècle. Maintenant encore, les acteurs jouent tantôt un Joad « doux » et plutôt « évangélique », ce qu'on appelait fin XIXe siècle le « mélange de

Bossuet et de Bourdaloue », tantôt un Joad « dur » et davantage agressif.

Joas paraît en revanche bien doux. À cause de la scène où il énumère devant Joad les devoirs des rois (IV, 2), on a souvent vu en lui un enfant qui récite son catéchisme. « Perroquet de sacristie », disait F. Sarcey. Est-ce si certain ? Pour se convaincre du contraire, il n'est que de relire sa rencontre avec Athalie, après la fausse sortie de Josabet, où le dialogue tourne rapidement à l'affrontement : « mémoire » du temple contre « gloire » du palais, malheur éternel des « méchants » contre vains « plaisirs » du monde, « père » fidèle contre « mère » impie, tous ces mots sont autant de flèches (vers 679-700). Non, vraiment, Joas changé en soldat de Dieu n'est pas gracieux et manifeste en partie l'énergie de son père spirituel qui l'a mené à la bonne école.

Pourtant, Joad n'est pas que le souffleur de Joas. Il est aussi le *montreur* du roi, dont la main dit « Voilà Joas ». Et le retour de ce geste projeté dès le vers 173 se concrétise à l'acte V dans la trouvaille du rideau baissé et levé sur Joas. D'où vient ce voile ? De *Britannicus* où Agrippine assiste cachée aux séances du sénat ? Ou du fameux voile de pourpre du temple, brodé de chérubins, qui défend l'accès au Saint des Saints et n'est écarté par le grand prêtre qu'une fois l'an, quand il voit Dieu ? N'en doutons pas, c'est surtout en pensant à ce rite que Racine a inventé l'épisode, dont une mise en scène du XVIIIᵉ siècle (1736), de surcroît inspirée de l'adoration des Rois mages, accentue l'effet : au moment où Joad pousse le rideau, on aperçoit Joas sur son trône, entouré d'Azarias portant l'épée et de sa nourrice à genoux, pendant que Zacharie et Salomith, également agenouillés, sont plus bas, avec, au fond, la troupe angélique des lévites.

Joas montré, c'est enfin une parole *dépliée*, révélée, au sens du verbe « expliquer » (vers 153, 177, 662 et 1663). Et seulement à la fin, gardée qu'elle est en un secret que Joad seul connaît. Pourtant, Joad parle depuis le début, et c'est même lui qui parle le plus dans la pièce (486 vers). Ample parole, donc, et dont le volume laisse loin derrière celle du chœur qui a le second rang. Parole pressée aussi : économe en « et » dans les énumérations, nourrie soit de formules chocs, soit d'oxymorons où, Léo Spitzer l'a bien vu, l'épithète détonne dans des expressions comme « saintement homicides », à propos des lévites, scandée de surcroît par de sèches anaphores qui insistent, séduisent (« Et vous [...] Vous ») ou menacent (« Autant que [...] Autant »), elle va rapidement de l'avant et n'hésite jamais à couper celle des autres. Pour, justement, prendre tout son temps et *se tirer*, puisqu'il s'agit de tirades, en longs inventaires, tel celui des miracles de Dieu qui redit la vérité de Dieu (vers 104-128). Vérité qui « ne trompe jamais » et demeure « stable » dans son mystère (vers 158).

D'où la sensible différence entre l'assurance de la parole de Joad et celle des autres personnages. Notamment celle d'Abner et de Josabet, qui se perdent en interrogations (que faire ? comment sauver Joas ?), auxquelles Joad ne répond que par des questions rhétoriques. Ou par un seul mot, « Dieu », ce mot qui dit tout pour lui et qu'il prononce cinquante et une fois alors que Josabet ne le prononce que neuf fois, et Abner seize fois. C'est que ses interlocuteurs ne savent pas vraiment. Leur angoisse se traduit alors par ces points d'interruption qui, dans leur cas exactement employés, suspendent définitivement la phrase :

> Doutez-vous qu'à ses pieds nos tribus empressées...
> Mais pourquoi me flatter de ces vaines pensées ?

Même déstructuration chez Athalie, et toujours à propos de Joas, quand la reine se coupe elle-même (vers 652-654) :

> La douceur de sa voix, sa douceur, sa grâce,
> Font insensiblement à mon inimitié
> Succéder... Je serais sensible à la pitié ?

ne finit pas sa phrase et tombe dans la confusion que
Joad lui a souhaitée dès le début.

Énergie et suivi chez le grand prêtre, bégaiement et
anacoluthes chez ses ennemis : Joas, qui est de plus
l'enfant qu'on n'évoque que par les trois points de
l'allusion (vers 609, 735, 1065), est pour les faibles
un roi en pointillé, tandis que pour Joad il est une
ligne en attente que lui seul remplira à l'acte V en
effaçant — brutalement — le nom d'Athalie. Comme
Mardochée a fait pendre Aman, serait-on tenté
d'ajouter si Mardochée n'était au fond bien effacé,
comparé à Joad. Il y a certes dans *Esther* une scène
qui annonce sur quelques points le début d'*Athalie* :
même ton autoritaire chez Mardochée qui ne laisse
pas le choix à sa nièce, même refus du pathétique
inutile (« Laissez les pleurs, Esther [...] »), même respect de la puissance divine qui exige le sacrifice de soi
(« Votre vie, Esther, est-elle à vous ? »). Mais Mardochée, qui est aussi statique que Joad est mobile, est
presque absent de la scène à partir de l'acte I ; il
attend à la porte du palais qu'Esther le sauve des
mains d'Aman alors que Joad organise tout.

On comprend que cet homme sans famille pour qui
Josabet est sa servante, non sa femme, et qui
n'adresse qu'une fois la parole à son fils Zacharie, cet
homme sans émotion, qui ne pleure que devant Joas,
inquiète les amateurs de nuances, que choque le piège
qu'il tend à la reine à la fin de l'acte V où il feint de
vouloir l'accueillir pacifiquement. Mélange de Gré-
goire VII et d'Innocent IV, personnage « hardiment
fanatique » qui ne travaille en réalité que pour lui
(Voltaire), « Prêtre insolent, séditieux » (d'Alembert),
« conspirateur théocratique » (F. Sarcey), maniaque
du « cercle vendettal » qui s'oppose à la largesse
d'esprit d'une Athalie très œcuménique avant la lettre
et prête à la « réconciliation » générale (Barthes) : on

le voit, Joad n'a pas bonne presse. Peut-il toutefois agir autrement ? Et faut-il, pour expliquer sa violence, transformer le temple en couvent de jésuites et les terres de Juda en maquis corse ? Ou, plus sérieusement dit, peut-on comprendre Joad sans le voir comme Racine, qui peint d'abord en lui le prophète biblique ?

Joad doit donc être replacé dans un temps et un projet où, *textuellement* (c'est lui qui, avec quatre-vingt-neuf vers sur deux cent neuf, cite le plus la Bible), il est le porte-parole de l'Éternel. Semblable en cela au Prophète des *Juives* de Robert Garnier, dont, à observer le ton[1] :

> Jusques à quand, Seigneur, épandras-tu ton ire ?
> Jusqu'à quand voudras-tu ton peuple aimé détruire ?

et ce qu'il annonce (la ruine de Jérusalem, la venue du Messie), on peut se demander s'il n'est pas un peu le descendant.

C'est en tout cas Joad qui fixe la place des autres personnages par rapport à Dieu, tel Mathan le prolixe (il parle dans cent soixante-quatorze vers, presque autant que Josabet), Mathan le hâbleur qu'il réduit à n'être finalement que le signe, ironique, de Celui qui renverse les planteurs de pieux. Les vers 920-922, venus d'Isaïe, sont en effet une allusion à ces bois, ou *achéras*, que les prêtres de Baal dressaient près de leurs autels. C'est lui surtout qui dit qui est Dieu. Ce Dieu n'est pas celui d'*Esther*. Le Dieu d'*Esther* est à l'image d'Assuérus qui est un doux maître ; c'est un Dieu d'amour et de tendresse, un Dieu pour les « petites filles » de Saint-Cyr, et pour nous modernes, un Dieu très « saint-sulpicien ». Celui d'*Athalie* est autrement plus dur. Il n'est Dieu d'amour qu'aux yeux des jeunes filles du chœur pour lesquelles il nourrit les « petits oiseaux », donne la manne et déborde d'« an-

---

1. *Œuvres complètes*, texte établi et présenté par Raymond Lebègue, Paris, Belles Lettres, 1949, vers 1-2, p. 17.

tiques bontés » (vers 647 et 1472). Le Dieu de Joad
en revanche se souvient car c'est un Dieu « vengeur »
(vers 1343) ; Dieu de la Loi, il tient les comptes des
fautes en père attentif et châtie au moindre manque-
ment. Ses « merveilles » (miracles) doivent « effrayer »
les hommes et sentent le coup de hache : chute des
tyrans d'Israël, mort d'Achab dont des chiens lèchent
le sang, exécution de 850 prêtres de Baal, assèchement
des sources... « Cruel Dieu des Juifs », dit pour sa part
Jézabel (vers 498). En tout cas, inflexible pour les
pécheurs, et qui ne donne ses consolations qu'à ceux
qui prennent la foi au sérieux. Disons-le tout net, le
Dieu de Joad est le Dieu de Pascal, un Dieu janséniste,
qui demande dans *Athalie* à être « cherché » (adoré, au
premier sens, mais l'adoration suppose à Port-Royal la
quête), et ne se laisse pas fléchir facilement.

De là la tentation de voir en Joad l'incarnation d'une
des figures majeures du jansénisme, à savoir celle du
grand Arnauld, chef exilé d'un mouvement plus que
jamais persécuté en 1691. La thèse, qui développe
l'approche « port-royaliste » de Sainte-Beuve, est
ancienne. Et moderne (F. Mauriac, *La Vie de Jean
Racine* ; A. Adam, *Histoire de la littérature au* XVIIe *siècle* ;
Ch. Mauron, *L'Inconscient dans l'œuvre et la vie de Racine* ; L. Goldmann, *Le Dieu caché*). Elle court chez
J. Orcibal au-dessus de l'approche « jacobite », avec le
même inventaire des vers allusifs ou des personnages à
clé[1]. On ne peut la repousser a priori. À partir de
Phèdre, les sympathies de Racine pour le christianisme
de son enfance sont trop évidentes pour qu'on passe
sur tels vers (vers 1214-1215), cités par J. Orcibal,

---

1. *La Genèse d'Esther et d'Athalie, op. cit.*, pp. 48-51 et 89-94. Les vers 15-
16 se rapporteraient aux persécutions contre les jansénistes ; les vers 85-92
renverraient à l'exigeante piété janséniste, et Joad serait décrit aux
vers 1705-1708, qui sont de la bouche d'Athalie, par les mots qu'utilisaient
les Jésuites pour Antoine Arnauld. Mathan serait un apostat du jansénisme,
et Abner, un des hauts magistrats janséniste de cœur mais pas assez courageux pour s'opposer aux Jésuites.

> Comment peut-on avec tant de colère
> Accorder tant d'amour,

ou tels autres (vers 1121-1125),

> Mais si tu les soutiens, qui peut les ébranler ?
> Du tombeau, quand tu veux, tu sais nous rappeler,
> Tu frappes et guéris. Tu perds et ressuscites.
> Ils ne s'assurent point en leurs propres mérites
> Mais en ton nom sur eux invoqué tant de fois,

qui semblent faire allusion, respectivement, à la rigueur janséniste et à la doctrine de la grâce efficace.

Inversement, il faudrait se garder de penser que Racine ait voulu à ce point durcir, et dater, son personnage. La préface de sa pièce jette à cet égard les bases d'une interprétation plus large, où le grand prêtre, semblable aux « prophètes [qui] joignent d'ordinaire les consolations aux menaces », est historiquement et symboliquement l'annonceur du christianisme dans ce qu'il a de moins controversé. Y compris ses exigences, que le jansénisme n'est pas le seul à souligner.

Avant que d'être janséniste, Joad est donc biblique. Donc chrétien puisque la Nouvelle Alliance ne va pas sans l'Ancienne. Il pourrait être un de ces évêques arrachés à l'autel (vers 21-24), comme Thomas Becket, tué par Henri II, en 1170, dans sa cathédrale de Canterbury ; il cite saint Jacques (la justification par les œuvres, objet d'un sérieux débat avec les protestants, apparaît au vers 71), et il est saisi de l'« Esprit divin » comme les apôtres le jour de Pentecôte, quand il prédit, avec les termes de l'Apocalypse, l'avènement du nouveau peuple élu (l'« Église », a noté Racine au vers 1159). La bonne nouvelle est ensuite portée au peuple « du haut [des] sacrés parvis » (vers 1749), événement dont Racine écrit dans ses papiers qu'il s'inspire de la mort de saint Jacques, « frère » (cousin) « du Seigneur [1] », lapidé sur la colline du temple après avoir

---

1. *Fonds français*, B.N., Paris, cote 12887 (reproduit aussi par R. Picard, dans les *Œuvres complètes* de Racine, *op. cit.*, p. 955).

confessé sa foi dans le Christ. Chrétienne est même la ruse de Joad à propos du « trésor » (vers 1726), selon Racine qui avance dans son manuscrit, pour justification, le cas de saint Laurent. Trésorier de l'Église de Rome, sommé par le juge d'abandonner l'argent dont il avait la garde, saint Laurent conduisit au tribunal les pauvres qu'il aidait et s'écria : « Voilà les trésors de l'Église [1] ! » Parce que Racine l'a voulu, Joad est l'homme d'une lignée où l'Évangile et la vie des saints prolongent le message de Moïse. Cet univers plus vaste, ouvert en amont et en aval de l'histoire d'une reine d'Israël, est en définitive le vrai monde d'*Athalie*.

---

1. *Ibid.*, où Racine reproduit le passage sur saint Laurent du *De officiis*, de Saint Ambroise (R. Picard, édition citée, p. 955).

vers 43-44 (1691) :
    Pour vous perdre, il n'est point de ressorts qu'il ne joue,
    Quelquefois il vous plaint, souvent même il vous loue.

vers 92 (1691 et 1692) :
    Et vous viendrez alors m'immoler vos victimes.

vers 95 : l'édition de 1697 dit « leur Roi », que P. Mesnard et R. Picard, estimant qu'il s'agissait d'une faute d'impression, ont dans leur édition remplacé par « leurs rois », texte des deux éditions précédentes. C'est aussi la solution ici adoptée.

vers 124 : l'édition de R. Picard donne « se ranimant » pour le « se ranimans » du texte de 1691, 1692 et 1697. Nous avons maintenu, en modernisant l'orthographe, « se ranimants » (pour les raisons syntaxiques, voir dans le texte la note se rapportant à ce vers).

vers 186 (1691 et 1692) :
    Dans quel péril encore il est prêt de rentrer !

vers 209 (1691 et 1692) :
    Je sais que près de vous en secret rassemblé.

vers 294 : ici, l'édition de R. Picard met « funestes avant-coureur ». On a évidemment supprimé cette coquille.

vers 369-370 : vers ajoutés en 1697.

vers 782-794 : vers ajoutés en 1697.

vers 804-809 : vers ajoutés en 1697.

vers 1195-1204 : vers ajoutés en 1697.

INDEX DES VERS BIBLIQUES D'*ATHALIE*

L'inventaire de la bibliothèque de Racine[1] en 1699 montre qu'il possédait, à côté de nombreux ouvrages d'exégèse, et outre quelques bibles latines, dont celle de Vatable (1545), le Nouveau Testament, dit de Mons, traduction publiée par Louis-Isaac Lemaître de Sacy et son frère en 1667, ainsi que la célèbre Bible que ce même Louis-Isaac de Sacy, très lié avec le milieu de Port-Royal, avait commencé de publier en 1672 avec le livre des Proverbes pour l'achever en 1696. *Athalie* étant rédigée entre le début de 1689 et la fin de 1690, on peut supposer que Racine, dont les sympathies jansénistes sont connues, a consulté les livres de l'Ancien Testament traduits par Lemaître de Sacy depuis 1672. Notamment Isaïe et le livre de la Sagesse (1673), les deux premiers livres des Rois (1674), l'Exode, le Lévitique et la Genèse (1684), les nombres (1685), le Deutéronome et les livres III et IV des Rois (1686)[2]. En somme, tous les grands textes de l'Ancien Testament qui sont cités dans *Athalie*, excepté les Chroniques qui ne sont traduites qu'en 1693, ont été publiés par Lemaître de Sacy avant 1689. Racine qui maîtrisait par ailleurs parfaite-

---

1. Renseignements tirés de l'article « Racine et la Bible », de Jean Dubu, dans *Le Grand Siècle et la Bible*, sous la direction de Jean-Robert Armogathe, Paris, Editions Beauchesne, « Bible de tous les temps », 1989, p. 724 et suiv. **2.** Indications fournies par Philippe Cellier dans sa « Préface » à la réédition de la Bible de Sacy, *op. cit.*, pp. XXVIII et XXIX.

ment le texte latin de la Vulgate avait donc de quoi
nourrir sa tragédie.

L'influence biblique s'exerce, en gros, selon quatre
modalités dans sa tragédie :

— L'*emprunt presque textuel* à la traduction de
Lemaître de Sacy, et alors, par exemple, le vers 1139,
« Cieux, écoutez ma voix. Terre, prête l'oreille », ren-
voie à « Cieux, écoutez ; et toi, terre, prête l'oreille »
(Isaïe, I, 2) ;

— L'*imitation plus libre*, quand le « Comment l'or
s'est-il obscurci ? Comment a-t-il changé sa couleur
qui était si belle ? » dans Jérémie IV,1, devient au vers
1142 « Comment en un plomb vil l'or s'est-il changé ? » ;

— La *paraphrase* au sens général, ajoute un déve-
loppement explicatif et concerne essentiellement les
chants des chœurs, où les beaux vers 311-322, qui
commencent par « Tout l'univers est plein de sa
magnificence » et se poursuivent plus loin par « Le
jour annonce au jour sa gloire et sa puissance » bro-
dent sur les versets 1-2 du célèbre Psaume 18 :

Cæli enarrant gloriam Dei
et opera manum eius adnuntiat firmamentum
dies diei eructat verbum
et nox nocti indicat scientiam[1],

que la Bible de Sacy traduit ainsi :

Les cieux racontent la gloire de Dieu,
Et le firmament publie les ouvrages de ses mains.
Un jour annonce cette vérité à un autre jour ; et une
nuit donne la connaissance à une autre nuit ;

---

1. *Biblia sacra*, texte de la Vulgate, Stuttgart, Deutsche Bibelgesellschaft,
1994, p. 788.

— La *métaphrase* ou paraphrase qui traduit en contractant pour éclairer le sens, comme dans les vers 61-62, où « Celui qui met un frein à la fureur des flots » renforce les versets 10-11 du Psaume 88 : « [...] vous apaisez le mouvement des flots [...] vous avez dispensé vos ennemis par la force de votre bras ».

On donne ici les vers, signalés dans l'édition par ★, qui sont des emprunts *directs* au texte de l'Écriture tel qu'il est traduit dans la Bible de Sacy, à laquelle Racine a beaucoup emprunté et dont le texte est ici systématiquement cité. L'astérisque peut éventuellement couvrir une suite de vers ; mais, si plusieurs astérisques se suivent, chaque vers a sa source particulière.

vers 1 : le vers est proche du Psaume 5, verset 8 : « [...] je vous adorerai dans votre saint temple. »

vers 61-62 : condensent les versets 10 et 11 de ce Psaume 88 que Racine avait partiellement recopié en vue de l'intégrer dans Athalie (voir notre Introduction, dernière partie).

vers 71 : la question rhétorique de Joad est bien catholique, et répond aux protestants (qui ne croient pas à la justification par les œuvres). Elle vient de saint Jacques : « Ainsi la foi qui n'a point les œuvres est morte en elle-même », Épître, II, 17.

vers 83 : la parole d'Abner est un écho de nombreux versets bibliques (voir par exemple Psaume 2, 11 : « Servez le Seigneur dans la crainte, et réjouissez-vous en lui avec tremblement. »)

vers 85-92 : ces reproches de Joad sont pour le moins inspirés d'Isaïe, I, 11-18 (« Qu'ai-je à faire de cette multitude de victimes que vous m'offrez ? dit le Seigneur »). On les trouve encore dans le Psaume 49, versets 10-15, tandis que le vers 89 imite la question de Dieu à Caïn, Genèse IV, 10. Autre source possible pour ce passage dans Michée, VI, 8.

vers 97 : « Dieu retiré de nous » : expression biblique, qu'on trouve par exemple dans Juges, XVI, 20 (dans la bouche de Samson).

vers 98 : vieux rappel : « Car je suis le Seigneur votre Dieu, le Dieu fort et jaloux », dit Dieu par exemple dans l'Exode, XX, 5.

vers 101-102 : comparer avec le Psaume 45, verset 22 : « [...] que vos ouvrages, Seigneur, sont terribles. »

vers 103 : « [...] et c'est moi qui ferai tout d'un coup ces merveilles quand le temps sera venu », Psaume 60, verset 23.

vers 106-108 : l'indignation de Joad se ressent d'une contamination d'Isaïe, XLII, 20, de la partie 2 du Psaume 113, verset 5 (« [...] elles ont des yeux, et elles ne verront point »), ainsi que d'un passage de saint Matthieu, XIII, 14.

vers 126 : doxologie (prière de louange) célèbre dans la liturgie catholique, qui s'inspire notamment du Psaume 144, verset 13 (« Votre règne est un règne qui s'étend dans tous les siècles [...] »).

vers 128 : « Il s'est souvenu pour toujours de son alliance », dit le Psaume 104, verset 8. Voir aussi ceci : « La mémoire du juste sera éternelle », Psaume 111, verset 6.

vers 129 : traduit le verset 48 du Psaume 88 : « Où sont, Seigneur, vos anciennes miséricordes que vous avez promises à David avec serment ? »

vers 133-138 : l'annonce du Messie est lue par les chrétiens dans de nombreux passages de l'Ancien Testament. Voir par exemple Isaïe, II, 4 ; et le Psaume 71, verset 11 (« Et tous les rois de la terre l'adoreront ; toutes les nations lui seront assujetties »).

vers 140 : cet « arbre » est celui de Jessé, image de la filiation du Christ qui descend de David. Voir notamment Jérémie, XXXIII, 17, et Isaïe, XI, 1.

vers 158 : « Tous ses préceptes sont fidèles et stables dans tous les siècles [...] », dit le Psaume 110, verset 7.

vers 165 : Joad parle avec le ton de l'Apocalypse (XXI, 6 : « Il me dit encore : Tout est accompli [...] »).

vers 173 : le verbe « montrer », souvent repris dans le texte, est fidèle : « en leur montrant le fils du roi », dit la Bible de Joas, dans Rois, IV, XI, 4. Autre rappel, aussi, de l'intervention de Josabet, Rois, IV, XI, 2, et Paralipomènes, II, XXII, 10.

vers 174 : image courante, qu'on trouve par exemple au verset 10 du Psaume 16 (« Protégez-moi en me mettant à couvert sous l'ombre de vos ailes [...] »).

vers 178 : « Les rois règnent par moi », dit Dieu dans les Proverbes, VIII, 15.

vers 226 : protection assurée aux fidèles depuis l'Exode, XIV, 14, où il est écrit : « Le Seigneur combattra pour nous. »

vers 227 : références nombreuses pour cette aide, par exemple dans Deutéronome, X, 18 ou XXIV, 17, et au Psaume 47, verset 6.

vers 228 : ici, Racine s'inspire nettement de saint Paul à qui Dieu dit : « Ma grâce vous suffit ; car ma présence éclate davantage dans la faiblesse. » Et saint Paul répond : « Je prendrai donc plaisir à me glorifier dans mes faiblesses, afin que la puissance de Jésus-Christ réside en moi », IIe Épître aux Corinthiens, XII, 9.

vers 233-234 : menace connue dans l'Exode, XV, 12 ; ou dans le Deutéronome, XXXIII, 27.

vers 261 : la « chair et le sang », l'allusion, plutôt

chrétienne, vient sans doute de saint Paul, Épître aux Éphésiens, vi, 12.

vers 267-268 : condensent Ézéchiel, xviii, 18-20 (et notamment le verset 20 : « Le fils ne portera point l'iniquité du père [...] »). Le vers 268 se rapporte plus spécialement à l'Exode, xx, 5.

vers 281 : voir le Psaume 31, verset 15 : « J'ai été mis en oubli [...] comme si j'eusse été mort. »

vers 282 : la lumière de David, qui sera celle du Christ, est souvent mentionnée (voir par exemple Rois, II, xxi, 17).

vers 286 : l'image de la fleur fanée est dans le Psaume 102, verset 14, et Isaïe, xl, 24.

vers 291-294 : reprennent la malédiction de David sur Architophel : « Seigneur, renversez, je vous prie, les conseils d'Architophel », Rois, II, xv, 31 ; et celle d'Isaïe sur les ennemis de Sion, pris, yeux aveuglés, par l'« esprit d'assoupissement », Isaïe, xxix, 10.

vers 310 : Josabet parle comme le psalmiste : « Chantez des cantiques au Seigneur [...] », Psaume 29, 4. À noter que « chercher Dieu » est une expression courante (voir par exemple Paralipomènes, II, xxvi, 5), pour désigner le culte rendu à Dieu dans son tabernacle (Exode, xxxiii, 7).

vers 311-322 : belle paraphrase du Psaume 18, versets 1-2 (« Les cieux racontent la gloire de Dieu, et le firmament publie les ouvrages de ses mains »). Nombreux usages aussi dans la liturgie. Pour le vers 313, voir Exode, iii, 13-14 ; et pour le vers 317, Exode, iii, 15.

vers 328-329 : résument le Psaume 73, verset 17.

vers 341 : la question reprend une image de Job, xxxviii, 6.

vers 346 : un des commandements du Décalogue, Exode, xx, 5 (repris dans saint Matthieu, xxii, 37).

vers 353 : lecture chrétienne, fréquente dans la liturgie, du fameux miracle de la manne. Comparer avec le « Ceci est mon corps, qui est donné pour vous », dans saint Luc, XXII, 19. Repris au vers 358.

vers 406 : le « Dieu vivant » : expression typique de la puissance divine depuis la Genèse, XVI, 14.

vers 424 : « Souvenez-vous, Seigneur, de David [...] », dit le Psaume 131, verset 1.

vers 457-458 : exactement repris d'une parole du Christ, dans saint Matthieu, XXII, 21 : « Rendez donc à César ce qui est à César, et à Dieu ce qui est à Dieu. »

vers 632 : imite le verset 3 du Psaume 8.

vers 646 : « [...] votre Père sait de quoi vous avez besoin », dit le Christ dans saint Matthieu, VI, 8.

vers 647-648 : le thème général et l'image de l'oiseau viennent du Psaume 146, versets 8-10.

vers 662-664 : ces vers, annoncés dans la préface (où Racine fait allusion à saint Paul, Ire Épître à Timothée, III, 15, pour rappeler que les Juifs apprenaient la loi « dès la mamelle »), condensent aussi l'éducation des rois Israël, telle qu'elle est par exemple vue par le Deutéronome, XVII, 17-18.

vers 665 : le premier des Dix Commandements, Deutéronome, VI, 5.

vers 666 : menace qui se trouve par exemple dans le Lévitique, XXIV, 15 ; ou Exode, XX, 7.

vers 667 : mêmes sources que le vers 227.

vers 668 : allusion, avec l'homicide, à un autre Commandement célèbre, Exode, XX, 13.

vers 686 : « [...] le Seigneur notre Dieu est le seul et unique Seigneur », Deutéronome, VI, 4 : affirmation majeure du peuple élu !

vers 688 : réponse trouvée dans le Psaume 57, verset 7.

vers 732 : Athalie sait bien que Dieu est le « refuge du pauvre », Psaume 9, verset 9.

vers 751 : les filles de Lévi sont en avance sur le temps et parlent comme les Rois mages qui cherchent le Christ après avoir vu son étoile (saint Matthieu, II, 2). Ces vers font évidemment partie du motif messianique dans la pièce.

vers 752 : ici, elles parlent comme Jean le Baptiste, saint Luc, I, 66.

vers 762 : « Qui racontera ta génération ? », Isaïe, LIII, 8 (question que les chrétiens appliqueront au Christ).

vers 768-771 : développent, en l'appliquant à la jeunesse, le Psaume 93, verset 12 : « Heureux est l'homme que vous avez vous-même instruit, Seigneur, et à qui vous avez enseigné votre loi. »

vers 780-781 : comparaison venue du Cantique des cantiques, II, 2.

vers 788-792 : développent une lamentation fréquente dans les Psaumes (voir par exemple Psaume 3, verset 1 : « Une multitude d'ennemis s'élèvent contre moi »).

vers 795-796 : « C'est une montagne fertile où il a plu à Dieu d'habiter, car le Seigneur y demeurera jusqu'à la fin », Psaume 67, verset 17.

vers 810-815 : belle paraphrase du célèbre Psaume 93, versets 3-4 : « Jusqu'à quand Seigneur, les pécheurs ; jusqu'à quand les pécheurs se glorifieront-ils avec insolence ? »

vers 816-826 : ces préceptes des « méchants » ont des sources nombreuses (pour ne pas parler ici de l'influence d'une image réductrice de l'épicurisme) : voir Isaïe, XXII, 13, et surtout, Sagesse, II, 1-9 (pour la métaphore florale) ; ou encore saint Paul, Ire Épître aux Corinthiens, xv, 32.

vers 827-832 : ils développent un motif courant dans les Psaumes, notamment pour les vers 830-832 : « [...] c'est à ceux qui ont le cœur droit qu'il appartient de lui donner des louanges », Psaume 32, verset 1.

vers 833-835 : paraphrase du Psaume 72, verset 20 (la « vaine image de leur bonheur » est comme le « songe de ceux qui s'éveillent »). Même thème de la vanité du monde dans Job, xx, 8.

vers 837-838 : résument la parabole, célèbre, du pauvre Lazare, saint Luc, xvi, 20-23.

vers 839-841 : image du *Dies iræ* (vers 840), chant de la messe des funérailles, combinée avec celle de la « coupe » du jugement, qu'on trouve notamment dans le Psaume 74, versets 7-8.

vers 920-922 : souvenir possible d'Isaïe raillant les rites des idolâtres, xliv, 17-20. Ce « bois » n'est sans doute pas une statue ; il désigne l'*achéra* (ou *astarté*), pieu ou arbre planté à côté des autels de Baal, rite impie contre lequel tous les prophètes fulminent (voir Juges, iii, 7 ; et surtout Jérémie, xvii, 2).

vers 1016-1017 : cette « chaire empestée » renvoie à la « chaire contagieuse des libertins », du Psaume 1, verset 1.

vers 1035 : « comble la mesure » reprend l'expression du Christ dans saint Matthieu, xxiii, 32.

vers 1121 : ce thème du « soutien » est courant dans les Psaumes (voir par exemple Psaume 90, verset 2).

vers 1122 : le juste arraché à la mort : cet espoir n'est pas seulement chrétien. Il est par exemple dans la Sagesse, iii, 1 « [...] le tourment de la mort ne les [les justes] touchera point ».

vers 1123 : contracte dans un beau vers une parole

de Dieu dans le Deutéronome, XXXII, 39 : « C'est moi qui fais mourir et c'est moi qui fais vivre ; c'est moi qui blesse et c'est moi qui guéris. »

vers 1126-1128 : les vers 1126 et 1128 s'inspirent des versets 35 et 36 du Psaume 88 ; le vers 1127 vient de Paralipomènes, II, XXXIII, 7 (signalé par Racine dans son manuscrit).

vers 1135 : « Que le Seigneur se lève [...] », dit le Psaume 67, verset 1.

vers 1137-1138 : paraphrasent le Deutéronome, XXII, 2.

vers 1139 : reprend presque exactement Isaïe, I, 2 : « Cieux, écoutez ; et toi, terre, prête l'oreille [...] »

vers 1140-1141 : « qu'ils [les ennemis de Dieu] disparaissent » : Psaume 67, verset 2 ; et, pour le « réveil » de Dieu, voir le Psaume 77, verset 71 : « Et le Seigneur se réveilla comme s'il avait dormi jusqu'alors [...]. »

vers 1142-1156 : Voici les « Lamentations » de Joad.
Elles viennent :
— Pour le vers 1142, des Lamentations de Jérémie, IV, 1 (« Comment l'or s'est-il obscurci ? Comment a-t-il changé sa couleur qui était si belle ? »). « Joas », dit Racine en note, pour indiquer que ce vers annonce l'idolâtrie du futur roi (voir Paralipomènes, II, XXIV, 17-20).
— Pour le vers 1143, du verset 20 des mêmes Lamentations (« Est-il possible que les prêtres et les prophètes soient nés dans le sanctuaire même du Seigneur ? »). « Zacharie », indique Racine en note : Joas ordonna de lapider Zacharie dans le temple (Paralipomènes, II, XXIV, 21-22).
— Pour les vers 1144-1145, d'une parole célèbre du Christ sur Jérusalem (saint Matthieu, XXIII, 37). Ces pleurs du Christ sur la ville ont inspiré longtemps l'iconographie chrétienne.
— Pour les vers 1146-1147, d'Isaïe, I, 13.

— Pour le vers 1148, où Racine indique en note « Captivité de Babylone », aussi bien des Lamentations de Jérémie (i, 3, allusion aux femmes de Juda), que des Paralipomènes (II, xxxvi, 20), ou de Michée, ii, 9.

— Pour le vers 1149, de nouveau des Lamentations de Jérémie, i, 1.

— Pour le vers 1150-1151, d'Isaïe i, 14 (mais même rejet des « solennités » chez Jérémie, Lamentations, i, 4).

— Pour le vers 1152 : l'image de la destruction et du feu vient aussi des Lamentations de Jérémie, ii, 3-5.

— Pour les vers 1155-1156, de Jérémie, ix, 1.

vers 1159-1172 : voici maintenant les consolations de Joad pour l'« Église » (note de Racine au vers 1159).

— vers 1159-1161 : contamination de l'Apocalypse, xxi, 1-2, et du Cantique des cantiques, iii, 6.

— vers 1164-1165, pour les « Gentils » (note de Racine), ces vers sont inspirés d'Isaïe, xlix, 21.

— vers 1166-1169 : condensent Isaïe, xlix, 18, 21 et 23 (pour les enfants nés ailleurs), ainsi que l'Apocalypse, xxi, 24 (pour l'hommage des rois).

— vers 1170 : « Les nations marcheront à la faveur de sa lumière », Apocalypse, xxi, 24 (reprend Isaïe, xl, 3).

— vers 1173-1174 : reprise textuelle d'Isaïe, xlv, 8 : « Cieux, envoyez d'en haut votre rosée [...] ; que la terre s'ouvre, et qu'elle germe le Sauveur » (début, aussi, de l'hymne de l'Avent, *Rorate cæli desuper*).

vers 1278-1282 : cette réponse condense les préceptes du chapitre xvii du Deutéronome, 17-20 (référence de Racine).

vers 1313 : l'image de la fleur est prise à Job, xiv, 2.

vers 1359 : vers proclamant l'irrésistible colère de Dieu sur ceux qui l'ont bravé, voir par exemple Lévitique, xxvi, 17.

vers 1379 : le « partage » (héritage) : image fréquente dans la Bible pour désigner les bienfaits de Dieu (voir par exemple Psaume 15, verset 5).

vers 1380 : les morts oubliés de Dieu : vieille terreur d'Israël, voir Psaume 87, verset 5 : « Comme ceux qui, ayant été blessés à mort, dorment dans les sépulcres, dont vous ne vous souvenez plus. »

vers 1396 : ce « sceptre de fer » fait penser à la « verge de fer » promise à David pour « gouverner » les ennemis de Dieu, Psaume 2, verset 9.

vers 1406-1408 : le « pauvre » et l'« orphelin » sont particulièrement chers à Dieu (Psaume 81, verset 3).

vers 1463 et 1466 : « enfants d'Aaron » : l'expression, qui désigne les prêtres, est dans le Lévitique, II, 2.

vers 1470 : « Dieu jaloux » : expression très connue, qu'on lit par exemple dans l'Exode, XX, 5.

vers 1471 : « Dieu des vengeances », autre expression connue (voir par exemple Psaume 93, verset 1).

vers 1472 (repris aux vers 1476 et 1501) : « Dieu de Jacob » : définition courante (voir par exemple Exode, III, 6).

vers 1473-1476 : paraphrase le début du *De profundis*, ce fameux Psaume 129, versets 1-3 (et surtout le verset 3 : « Si vous observez exactement, Seigneur, nos iniquités [...] »).

vers 1479-1481 : telles sont les paroles des ennemis de Dieu au Psaume 73, verset 9 : « Faisons cesser et abolissons de dessus la terre tous les jours de fête consacrés à Dieu. »

vers 1482 : ce vers condense le verset 8 du même Psaume 73 (autels attaqués), et les versets 3-4 du Psaume 82 (pour les saints de Dieu).

vers 1483-1484 : s'inspirent du verset 4 du Psaume 82 (2e partie de ce vers).

vers 1485 : « son Christ » : terme fréquent pour le roi sacré par Dieu dans la Bible de Lemaître de Sacy (voir par exemple le Psaume 2, verset 2, et Rois, I, XXIV, 7). Et, évidemment, pour le Messie des chrétiens.

vers 1517 : « racheté du tombeau » vient du Psaume 102, verset 4 (Dieu « rachète votre vie de la mort »).

vers 1736 : « Et j'ai vu une femme ivre du sang des saints », dit l'Apocalypse d'une figure allégorique des ennemis du Christ, XVII, 6.

vers 1747-1748 : la comparaison épique est prise au Psaume 67, verset 2.

vers 1816 : Joad, qui a tant parlé par la bouche du psalmiste, termine par les psaumes « C'est à vous que le soin du pauvre a été laissé : vous serez le protecteur de l'orphelin », Psaume 10, verset 17.

BRÈVES REMARQUES DE SYNTAXE
ET DE VERSIFICATION

Syntaxe

La syntaxe de Racine dans cette pièce ne pose pas de problème particulier. Deux ou trois singularités méritent néanmoins d'être relevées (outre celles qu'on donne dans les notes du texte).

LATINISMES

Avec l'antéposition, très fréquente, de l'adjectif épithète (type : la « fameuse journée », vers 3), on trouvera, en cas de pluralité des sujets, l'accord du verbe avec le sujet le plus rapproché (ex. au vers 405), ou l'accord de l'adjectif avec le substantif le plus proche (type : « d'un courage et d'une foi nouvelle », vers 1269).

PRÉPOSITIONS

La préposition « de » est employée pour « par » (préface : « fut mangée des chiens »), pour « avec » (vers 146), ou pour « à » (vers 742). La préposition « à » introduit encore des compléments circonstanciels de personne (« levant au Seigneur », vers 222), et a la valeur de « dans » (ex. au vers 1058), ou de « sur » (vers 800).

Pronoms relatifs et interrogatifs

Le relatif « que » a souvent le sens de « où » (ex. au vers 189), et « où » peut encore remplacer « lequel » précédé d'une préposition (vers 241 et 274). Enfin « qui » interrogatif se rapporte encore aux choses et a le sens de « qui est-ce qui » (vers 869 et 1109 par exemple).

Formes verbales

L'antéposition du pronom personnel « se » devant l'ensemble du groupe verbal (vers 166 : « Et votre heureux larcin ne se peut plus celer ») est tout à fait usuelle au XVIIe siècle, et on en trouvera de nombreux exemples dans le texte. Tout aussi fréquent, le sens passif pour les verbes réfléchis (exemple aux vers 177 et 1180).

Rimes

Signalons simplement que, dans la prononciation du temps, « a » long rime avec un « a » bref (vers 111-112, 875-876, 1575-1576), et que « fils », prononcé « fi », rime normalement avec « promis » (vers 129-130), ou « assis » (vers 697-698). De même, le « s » final non prononcé dans « ours » rime avec « secours » (vers 1065-1066), comme « tous » [tou] avec « vous » (vers 1267-1268). Autre type de syncope du « s » final dans « Okosia[s]/pas » (vers 1287-1288), ou « Joa[s]/-pas » (vers 1677-1678).

GLOSSAIRE [1]

A

Abolir : vers 1789 : faire disparaître complètement.
Abord : vers 774, 784 : approche de quelqu'un.
Abord (d') : vers 873 : aussitôt.
Abuser : vers 168 : mal interpréter.
Admirer : vers 987 : du latin *admirari*, considérer avec stupeur (sens moderne ailleurs).
Affreux : vers 505, 839, 949, 1032, 1058, 1086 : qui épouvante (sens fort).
Aimable : vers 323, 764, 1243, 1309, 1399, 1494 : digne d'être aimé (sens étymologique).
Alarme : vers 424, 455, 883, 1386, 1551, 1561 : vive inquiétude ; vers 615 : appel aux armes (sens étymologique).
Alarmé (adjectif) : vers 80 : très inquiet.
Altier : vers 475 : orgueilleux (de l'italien *altiero*) ; vers 1166 : justement fier (en parlant de Jérusalem, proche du latin *altus*, haut).
Amitié : vers 717 : affection filiale.
Animer : vers 328 : donner la vie, au sens propre.
Appui : vers 1078, 1666 : protection.
Appuyer : vers 275, 968 : donner crédit à quelque chose (sens figuré).
Artifice : vers 987 : hypocrisie.
Assurer (s') : vers 201, 1124 : avoir confiance dans

---

1. Les mots expliqués en note ne figurent pas ici.

quelque chose ; vers 550 : prendre entière connaissance de quelqu'un ; vers 619 : se rassurer.

Attache : vers 908 : attachement.

Attester : vers 1015 : sens étymologique du latin *attestari*, prendre à témoin.

Audacieux (adjectif substantif) : vers 1795 : trop courageux.

Auguste : vers 298, 333, 1244, 1370 : sens étymologique du latin *augustus*, saint, consacré.

Auteur : vers 1706 : chef, instigateur.

Avant-coureur (substantif) : vers 294 : celui qui précède.

Avare : vers 1591, du latin *avarus*, cupide.

B

Bizarre : vers 515, 589 : extravagant.

Brave : vers 199, 1198, 1655 : courageux.

Bruit : vers 967 : nouvelle.

C

Camp : vers 78, 82, 1339, 1563, 1685, 1743, 1754 : armée.

Celer : vers 166 : cacher.

Cependant : vers 65, 391, 615, 1052, 1537 : pendant ce temps ; vers 198, 597, 693 : sens moderne.

Chagrin : vers 52, 488 : accablement profond.

Charmant : vers 347, 360, 371, 804, 1163 : qui enchante, au sens fort.

Charme : vers 884, 1154, 1388 : influence magique, irrésistible (sens fort).

Charmer : vers 364, 941 : enchanter, au sens propre.

Cœur : vers 717 : courage ; sens moderne ailleurs.

Colorer : vers 46 : déguiser, au sens péjoratif.

Comme : vers 84, 690, 703 : comment ; ailleurs : sens moderne.

Commettre : vers 443, 738, 1650 : confier le soin de quelque chose à quelqu'un.

Complaisance : vers 588, 986 : souci de servir quelqu'un d'élevé.
Compte (faire) : vers 980 : tenir compte.
Concours : vers 13 : du latin *concursus*, grande
  affluence de personnes.
Confondre : vers 291, 847 : troubler quelqu'un jus-
  qu'à l'égarer.
Connaître : vers 870, 1380, 1720 : reconnaître.
Conseil : vers 188, 291 : du latin *consilium*, délibéra-
  tion avec soi-même ou avec autrui, puis résultat de
  cette délibération ; vers 862 : projet ; vers 1588 :
  parti qu'on choisit.
Consterné (adjectif) : vers 948 : renversé, au sens
  fort, du latin *consternere* (même sens).
Coup : vers 726 : action éclatante.
Crime : vers 91, 223 : faute contre la loi religieuse.
Criminel : vers 265, 854, 1364 : fautif au regard de
  la loi religieuse.

D

Débris (singulier) : vers 961 : destruction.
Déclarer : vers 180, 1266 : du latin *declarare*, procla-
  mer hautement, avec solennité.
Déclarer (se) : vers 981 : se proclamer hautement.
Déplaisir : vers 302 : au sens fort, grande douleur.
Déplorable : vers 149 : sens étymologique, digne
  d'être pleuré.
Dès longtemps : vers 27, 29 : depuis longtemps.
Désoler : vers 476 : du latin *desolare*, dépeupler,
  dévaster complètement.
Détester : vers 272, 1772 : maudire solennellement.
Discours : vers 596 : parole, récit préparés.
Disgrâce : vers 111 : malheur (sens fort).
Dispenser : vers 325 : du latin *dispensare*, répartir en
  pesant ce qu'on donne.
Doute (sans) : vers 692 : sans aucun doute.

E

Éclaircir : vers 383 : informer quelqu'un avec clarté.

Effet : vers 105, 518 : action, fait ; vers 696 : entier accomplissement (latin *effectus*) ; vers 733, 894 : résultat.

Embrasser : vers 502 : sens propre : prendre dans les bras.

Enfin : vers 866, 945, 960 : à la fin (sens propre) ; vers 691 : en somme.

Engager : vers 350, 362, 374 : consacrer solennellement quelque chose à quelqu'un.

Envelopper : vers 418 : environner, entourer ; vers 1315, 1734 : prendre quelqu'un comme dans un filet.

Erreur : vers 169, 835, 1002 : tromperie, mensonge ; vers 293, 844 : égarement loin de Dieu.

Esprit : préface, vers 176 : intelligence.

Étonnant : vers 1688 : frappant de stupeur, épouvantant (sens fort).

Étonné (adjectif) : vers 1043, 1167, 1754 : frappé de stupeur, pris d'épouvante par quelque chose ou quelqu'un.

Étonner : vers 414 : frapper de stupeur, d'épouvante.

Étonner (s') : vers 187, 966 : s'épouvanter.

Exercice : vers 672 : occupation.

Expliquer : vers 662, 1663 : du latin *explicare* (déplier), développer, révéler.

Expliquer (s') : vers 153, 177 : même sens au réfléchi.

Exterminer : vers 91 : expulser violemment (latin *exterminare*, jeter hors des frontières).

F

Faire compte de : vers 980 : tenir compte de.

Faire part : vers 695 : donner une part de quelque chose.

Faire le soin : vers 1404 : être l'objet de la sollicitude de quelqu'un.

Faire vanité de : vers 709 : tirer vanité de.

Fameux : vers 3, 110, 796, 928, 1362 : célèbre.

Farouche : vers 407, 1071 : sauvage.

Fatal : vers 17, 115, 658, 1387, 1539 : qui apporte la mort ou est de grave conséquence.

Favorable : vers 943, 1072 : sens étymologique, digne d'être favorisé, d'être bien vu.

Feindre que : vers 49 : dire faussement que.

Fier : vers 219, 480, 1756 : sens du latin *ferus*, sauvage.

Fierté : vers 493 : humeur sauvage.

Fille : préface : jeune fille ; ailleurs : enfant, au sens propre ou figuré.

Flatter : vers 1001 : encourager, donner de l'espoir ; vers 1526, 1554 : rassurer quelqu'un.

Flatter (se) : vers 148 : s'abuser.

Foi : vers 201, 900, 1802 : fidélité au roi (latin *fides*) ; vers 71, 187, 260, 350, 362, 374 (notamment) : croyance fidèle en Dieu ; vers 559 : témoignage.

Forcé (adjectif) : vers 24 : peu naturel.

Formidable : vers 403, 1181 : inspirant la plus grande crainte.

Fortune : vers 659 : le sort.

Fourbe (substantif féminin) : vers 1018, 1728 : fourberie.

Fruit : vers 285, 324 : sens courant ; vers 87, 484 : avantage ; vers 1622 : utilité.

Funeste : préface, vers 23, 255, 294, 420, 511, 911, 989, 1728 : qui apporte ou présage la mort.

G

Garder de : vers 1253 : se garder de.

Gêner : vers 569 : tourmenter (sens fort de *gehenna*, torture).

Gloire (mot isolé) : vers 127, 318, 336, 1167, 1224, 1483 : splendeur dont Dieu s'entoure quand il se manifeste ; vers 679 : éclat d'une personne de haut rang ; vers 955 : grande célébrité d'une personne ; vers 1253 : éclat d'une chose.

H

Habile : préface : compétent.

Hasarder (se) : vers 1535 : s'exposer à un grave danger.

Horreur : vers 417, 621 : sens du latin *horror*, épouvante qui faisait dresser les cheveux ; vers 211, 490, 523, 572, 706, 714, 729, 836, 842, 1035, 1331, 1360, 1473, 1506, 1569, 1658, 1766, 1809 : sens courant (mouvement de haine et de dégoût).

I

Idée : vers 520 : image, apparence.

Illustre : préface, vers 162, 563, 858, 999, 1464 : du latin *illustris* (qui est en pleine lumière), ici : plein d'éclat, au sens propre.

Imposture : vers 656 : illusion.

Impunément : vers 26 : sens propre : sans être puni.

Indigne : vers 1544 et 1566 : sens du latin *indignus*, qu'on ne mérite pas ; vers 283 : pas conforme à la race ; vers 1737 : méprisable.

Indiscret : vers 716 et 1657 : par extension du latin *indiscretus* (indistinct, sans normes) : incapable de modération, en parlant des personnes ; vers 193 : qui manque de retenue.

Infecter : vers 703 et 1026 : corrompre.

Ingénuité : vers 629 : naïveté (en bonne part).

Injuste : vers 171, 206, 315 : non conforme aux lois de la justice ; vers 1282 : qui dépasse la norme légitime.

Interprète : préface : commentateur.

Intimider (s') : vers 260 : s'effrayer.

Irriter : vers 431 : rendre plus vif ; vers 67, 600 : mettre en colère.

M

Marcher : vers 309, 1240 : aller en procession solennelle ; vers 954 : forme métaphorique du verbe « être » ; ailleurs (vers 539, 1339) : sens courant.

Méchant : vers 62, 688, 689, 774, 784, 811, 815, 1013, 1054, 1405, 1478 : rebelles à la loi de Dieu (sens biblique) ; vers 1741 : révolté contre le roi.

Méchant (adjectif) : vers 36 : rebelle à Dieu.

Merveilleux : vers 752 : miraculeux.

Mesure : vers 325 : selon une règle fixée ; vers 551 : ménagement.

Meurtri : vers 1793 : tué (archaïque) ; vers 504 : blessé.

Ministère (prêter son...) : vers 40, 547 : servir, en parlant d'un dieu.

Ministre : préface, vers 221, 573, 576, 618, 851, 923, 1032, 1328 : sens étymologique de *minister*, serviteur, agent, exécuteur d'un supérieur (ou de Dieu).

Monstre : vers 603, 1034 : sens premier du latin *monstrum*, fait singulier, extraordinaire.

N

Neveu : vers 721 : descendant.

Nourri : vers 78, 257, 572, 1018, 1312, 1354, 1387 : élevé, en parlant des enfants.

O

Odieux : vers 239, 913, 1729, 1811 : haïssable, au sens fort.

Offenser : vers 940 : choquer rudement.

Officieux : vers 65 : obligeant.

P

Partage : préface, vers 368, 1379 : part d'héritage.

Peinture : vers 323 : couleur.

Pompe : vers 164 : sens du latin *pompa*, cortège lors d'une fête.

Pompeux : vers 304, 676 : plein de solennité.

Porter la parole : préface : prendre la parole.

Pressé (adjectif) : vers 481 : serré de près par quelqu'un.

Prêt de : vers 58 : près de.

Profane : vers 852 : personne qui n'appartient pas au monde religieux.

Profane (adjectif) : vers 462, 1087, 1767 : qui est plein d'irrespect pour les choses saintes (très proche, en ces occurrences, de « sacrilège ») ; vers 672, 1180 : qui n'appartient pas au monde religieux.

Profaner : vers 381, 947, 1253, 1789, 1792 : commettre un sacrilège sur un objet ou dans un lieu religieux.

Publication : préface : proclamation.

Publier : vers 314, 469, 758 : proclamer.

Q

Querelle : vers 215, 1119, 1464, 1795 : cause, parti ; vers 928 : dispute.

R

Ramas : vers 1657 : ramassis.

Rappeler : vers 1157, 1158 : faire revenir.

Rapport : vers 544 : ressemblance exacte.

Ravir : vers 1154, 1418 : enlever, au sens propre.

Ravissement : vers 805 : extase sainte.

Rechercher : vers 267 : poursuivre, comme en justice.

Reconnaître : vers 745 : être reconnaissant pour quelque chose.

Redoubler : vers 210 : doubler ; vers 958 : augmenter ; vers 1511 : renouveler.

Rengager (se) : vers 1806 : se consacrer solennellement à quelqu'un.

Ressort : vers 43 : intrigue, complot.

Retrancher : vers 1573 : trancher.

S

Sacrificature : préface : la fonction de sacrificateur.

Satellite : vers 207 : homme à gages (sens péjoratif).

Secret (adjectif) : vers 778 : sens étymologique de *secretus*, reculé ; vers 69, 762, 1590 : sens courant.

Séduire : vers 754 : mener hors du droit chemin.

Servile : vers 363 : propre à l'esclave.

Simple : vers 703 : sans malice ; vers 630 : qui est un.

Société : vers 446 : fréquentation.

Soin : vers 190, 210, 266, 649, 569, 879, 1079, 1271, 1404, 1442, 1521, 1605, 1652, 1691, 1780 : attention, application ; vers 1344 : mesure de sûreté.

Solennel : vers 2, 164, 853, du latin *solemnis*, qui a lieu une fois l'an ; vers 212 : fait avec solennité.

Solenniser : vers 975 : célébrer avec cérémonie.

Succomber : vers 1551 : sens étymologique de *succumbere*, s'affaisser sous.

Superbe : vers 51, 398, 739, 904, 940, 1545 : sens de *superbus*, orgueilleux.

Support : vers 428 : appui.

Surpris : vers 393, 873 : attaqué à l'improviste.

T

Téméraire : vers 849 : personne qui ne sait ce qu'elle fait ou dit.

Téméraire (adjectif) : vers 452, 468, 1090, 1595 : irréfléchi, inconsidéré.

Timide : vers 667, 872, 950, 1077, 1191 : craintif.

Trait : vers 151, 1468, 1486 : flèche ; ailleurs (vers 125, 538, 586) : marque spécifique, ou ligne caractéristique du visage ou du corps.

Transporter : vers 916 : agiter d'une passion violente.

U

Usure : vers 327 : rendre avec usure : rendre plus qu'on n'a reçu.

V

Vapeur : vers 518 : hallucination, dérangement mental.

Vertu : vers 94 : sens du latin *virtus*, courage, énergie morale et physique ; vers 38, 70, 788, 816, 1401, 1643 : disposition à faire le bien.

Vil : vers 566, 694, 1088, 1142, 1392, 1454 : sens étymologique de *vilis*, de peu de valeur.

Z

Zèle : vif dévouement au service du bien et de Dieu (vers 65, 85, 156, 216, 300, 440, 1270, 1448, 1465, 1567, 1691) ; ou au service du mal (vers 577, 599, 916, 919).

Zélé (adjectif) : vers 15, 38 : qui a du zèle (pour le mal ou le bien).

BIOGRAPHIE

1639. *22 décembre.* — Baptême de Racine, issu d'une famille janséniste, à la Ferté-Milon.

1643. — Orphelin de mère et de père, il est confié aux grands-parents paternels.

1649-1653. — Marie Desmoulins, sa grand-mère paternelle devenue veuve, s'installe à Port-Royal-des-Champs. Racine est l'élève des célèbres « Petites Écoles » du monastère. En 1653, il entre au collège de Beauvais.

1655. — Retour à Port-Royal. Éducation à la fois humaniste et janséniste sous la conduite de Lancelot, Nicole, Le Maître et Hamon. Il se familiarise avec les auteurs latins et surtout avec les tragiques grecs (Sophocle, Euripide). Compose ses premiers textes, d'inspiration religieuse.

1656. — Persécution contre les jansénistes. Pascal commence à publier *Les Provinciales*.

1658. *Octobre.* — Racine entre au collège d'Harcourt, à Paris.

1659-1660. — Il rencontre La Fontaine et d'autres écrivains. Fréquente les milieux mondains. Rédige *La Nymphe de la Seine à la Reine*, ode dédiée à Marie-Thérèse d'Autriche, que Louis XIV vient d'épouser à la suite du traité des Pyrénées (novembre 1659). Remarqué par Chapelain. Compose *Amasie*, pièce de théâtre (texte perdu).

1661. *Septembre.* — Port-Royal inquiet l'envoie à

Uzès, auprès d'un oncle vicaire général. On songe à lui donner une charge ecclésiastique.

1662. — Mort de Pascal.

1663. — Racine, qui a pris ses distances avec Port-Royal, revient à Paris. Son *Ode sur la convalescence du Roi* (celui-ci a été malade en mai) lui vaut d'être présenté à la Cour où il rencontre Molière.

1664. *20 juin.* — Première de *La Thébaïde ou les Frères ennemis*, tragédie sur les fils d'Œdipe, peut-être esquissée à Uzès, et représentée par la troupe de Molière, au théâtre du Palais-Royal.

1665. *4 décembre.* — Seconde tragédie, *Alexandre*, toujours représentée par les comédiens de Molière. Puis Racine donne la pièce à la troupe de l'Hôtel de Bourgogne. Rupture définitive avec Molière. Racine commence à toucher des gratifications de Louis XIV.

1666. — Rupture éclatante avec Port-Royal : à Pierre Nicole qui avait violemment condamné le théâtre, Racine répond, malgré les conseils de prudence de son ami Boileau, par sa *Lettre à l'Auteur des Hérésies imaginaires*.

1667. *17 novembre.* — Première d'*Andromaque* où la Du Parc, sa maîtresse, a le rôle principal. Grand succès de la pièce, à un moment où Corneille est moins en faveur (depuis son *Œdipe*, joué en 1659, il se tait).

1668. — Mort de la Du Parc. Racine va s'éprendre de la Champmeslé qui sera son interprète préférée. Le succès d'*Andromaque* provoque les attaques des partisans de Corneille, soutenus par Saint-Évremond. La troupe de Molière joue *La Folle Querelle ou La Critique d'Andromaque*, pièce de Subligny, au Palais-Royal.

1669. — Publication de l'unique comédie, *Les Plaideurs* (peut-être créée en 1668). Création, à l'Hôtel de Bourgogne, de *Britannicus* qui ne reçoit qu'un accueil médiocre.

1670. *21 novembre.* — Première de *Bérénice*. Le 28 novembre, Corneille répond par *Tite et Bérénice*.

1672. *5 janvier.* — Première de *Bajazet* (Hôtel de Bourgogne). Le côté « turc » de la pièce ravive la polémique autour de Racine qui est élu le 5 décembre à l'Académie Française.

1673. *13 janvier.* — Création de *Mithridate*, de veine très cornélienne.

1674. *18 août.* — Première, en présence de Louis XIV, d'*Iphigénie*. Énorme succès. Racine est pourvu d'une charge de Trésorier et est anobli. Corneille vieilli ne réussit pas à reconquérir le public avec son *Suréna*.

1676. — Première édition collective des œuvres de Racine (chez Denys Thierry ou Claude Barbin).

1677. *1er janvier.* — Création de *Phèdre*. Les adversaires de Racine soutiennent la *Phèdre* de Pradon. La confrontation tourne à une guerre de libelles. Cette même année, Racine — un Racine revenu de ses errements de jeunesse — épouse Catherine Romanet (sept enfants naîtront du mariage). En septembre, il est nommé, comme Boileau, Historiographe du roi, et commence une autre carrière en accompagnant le roi dans ses campagnes. Il se réconcilie avec Port-Royal, dont le pessimisme se retrouve dans *Phèdre*.

1679. — Affaire des poisons : Racine accusé par La Voisin d'avoir empoisonné la Du Parc.

1683. — Voyage en Alsace avec Louis XIV.

1684. — Il publie son *Précis des campagnes de Louis XIV*. Corneille meurt le 1er octobre. Racine s'assure de solides appuis à la cour (Louvois, Colbert, Bossuet, Mme de Maintenon).

1685. *2 janvier.* — Thomas Corneille, frère du grand Corneille, entre à l'Académie. Racine prononce en l'accueillant l'éloge de celui qui fut son rival.

1687. *Janvier.* — Début de la querelle des Anciens et

des Modernes, qui oppose Fontenelle, Perrault et Saint-Évremond à Boileau et à La Bruyère. Seconde édition collective des œuvres de Racine.

1689. *26 janvier.* — Première d'*Esther*, tragédie biblique commandée par Mme de Maintenon, à Saint-Cyr. La pièce connaît un grand succès. Racine commence à rédiger *Athalie*.

1691. *5 janvier.* — Création d'*Athalie*, seconde tragédie biblique, toujours à Saint-Cyr, mais devant un public restreint. En mars et avril, Racine est au siège de Mons avec Louis XIV.

1692. — Il est avec le roi au siège de Namur (mai-juin).

1694. — Fin momentanée de la querelle des Anciens et des Modernes qu'Antoine Arnauld, un des chefs du mouvement janséniste, réconcilie avant de mourir (août). Racine assiste à ses obsèques. Ses fameux *Cantiques spirituels* dateraient de cette année.

1695. — Il est logé à Versailles par le roi. Début possible de la rédaction de son *Abrégé de l'Histoire de Port-Royal*.

1697. — Troisième édition de ses œuvres complètes.

1698. — Un moment inquiété à cause de ses sympathies pour les jansénistes, Racine doit se justifier. Il tombe gravement malade.

1699. *21 avril.* — Âgé de près de soixante ans, Racine meurt. Comme il le souhaitait, il est enterré à Port-Royal. Sa tombe est proche de celle de Hamon, un de ses premiers maîtres.

BIBLIOGRAPHIE

Athalie au XVIIe siècle

Athalie. Tragédie tirée de l'Écriture sainte, à Paris, chez Denys Thierry, 1691, in-4°.

Athalie. Tragédie tirée de l'Écriture sainte, à Paris, chez Denys Thierry ou Claude Barbin, 1692, in-12.

Œuvres de Racine, à Paris, chez Denys Thierry ou Claude Barbin, 1697, 2 vol. in-12 (*Athalie*, tome II).

Théâtre de Racine

Œuvres complètes de Jean Racine, avec le commentaire de M. de Laharpe, Paris, 1807 (le tome V contient, pp. 245-264, les *Sentiments de l'Académie sur Athalie*).

Œuvres complètes de J. Racine, édition de Paul Mesnard, Paris, Hachette, « Grands Écrivains de la France », 1885-1888.

Œuvres complètes de Racine, édition présentée, établie et annotée par Raymond Picard, Paris, Gallimard, « Bibliothèque de la Pléiade », 1950, tome I, *Théâtre-Poésies*, et 1966, tome II, *Prose*.

Théâtre complet, édition de Jacques Morel et Alain Viala, « Classiques Garnier », 1980.

Théâtre complet, édition de Jean-Pierre Collinet, Galli-mard, « Folio », tomes I et II, 1980 et 1982.

Théâtre complet, édition de Jean Rohou, Hachette, « La Pochothèque », 1998.

Œuvres complètes, Théâtre-Poésie, édition présentée, établie et annotée par Georges Forestier, Galli-mard, « Bibliothèque de la Pléiade », tome I, 1999.

Ouvrages cités

ADAM, Antoine, *Histoire de la littérature française au XVIIe siècle*, Paris, Éd. Mondiales-Del Duca, 1962.

ARMOGATHE, Jean-Robert (sous la direction de), *Le Grand Siècle et la Bible*, Paris, Éditions Beauchesne, « Bible de tous les temps », 1989.

BARTHES, Roland, *Sur Racine*, Paris, Éd. du Seuil, 1963.

Bible (La), traduction de Lemaître de Sacy, préfacée et introduite par Philippe Sellier, Paris, Robert Laf-font, « Bouquins », 1990.

Biblia sacra. Iuxta vulgatam versionem (Vulgate), Stuttgart, Deutsche Bibelgesellschaft, 1994.

BOSSUET, *Politique tirée de l'Écriture Sainte*, citée dans *Œuvres complètes*, Paris, Gauthier Frères et Cie, 1828, tome XV.

CHARLIER, M. G., « *Athalie* et la Révolution d'Angle-terre », Paris, *Mercure de France*, 1er juillet 1931, pp. 74-100.

CHEDOZEAU, Bernard, « Ultramontains, Anglicans et Catholiques devant *Athalie* », *Revue d'histoire litté-raire de la France*, 90e année, n° 2, mars-avril 1990, pp. 165-179.

COQUEREL, Athanase, *Athalie et Esther de Racine, avec un Commentaire biblique*, Paris, Librairie J. Cherba-liez, 1863.

Dossiers sur *Athalie*, Bibliothèque de l'Arsenal, Paris (programmes et articles de presse sur les représentations de la pièce, à la Comédie-Française ou ailleurs, des années 1820 à nos jours).

DUBU, Jean, « Racine et la Bible », dans *Le Grand Siècle et la Bible*, ouvrage dirigé par Jean-Robert Armogathe (voir ci-dessus), pp. 731-734.

ERNST, Gilles, « *Athalie* et le sacre de Reims », *Le Théâtre et le Sacré*, dirigé par Anne Bouvier-Cavoret, Paris, Éditions Klincksieck, « Actes et colloques », nº 41, 1996, pp. 123-136.

EURIPIDE, *Tragédies complètes*, Éd. de Marie Delcourt-Curvers, Paris, Gallimard, « Folio », nº 2104, 1990.

GARNIER, Robert, *Œuvres complètes*, texte établi et présenté par R. Lebègue, Paris, Belles Lettres, 1949-1974, tomes I-IV.

GODEFROY, Denys et Théodore, *Le Cérémonial français* [...], à Paris, chez Sébastien Cramoisy, 1649.

GOLDMANN, Pierre, *Le Dieu caché*, Paris, Gallimard, « Tel », nº 11, 1979.

HORACE, *Épîtres*, texte établi et traduit par F. Villeneuve, Paris, Belles Lettres, 1955.

LA BRUYÈRE, *Caractères*, texte établi, introduit et annoté par Robert Garapon, Paris, Garnier, 1962.

MAURIAC, François, *La Vie de Jean Racine*, Paris, Plon, 1928.

MAURON, Charles, *L'Inconscient dans l'œuvre et la vie de Racine*, Gap, Éditions de l'Ophrys, 1957.

MONGRÉDIEN, Georges, *Athalie de Racine*, Paris, Éd. Edgar Malfère, 1929.

MORTIMART, Aimé-Georges, *Le Gallicanisme*, Paris, P.U.F., « Que sais-je ? », nº 1537, 1973.

ORCIBAL, Jean, *La Genèse d'Esther et d'Athalie*, Paris, Librairie Vrin, 1950.

PICARD, Raymond, *La Carrière de Jean Racine*, Paris, Gallimard, 1961.

RACINE, Louis, *Mémoires*, Genève et Lausanne, chez Marc-Michel Bousquet, 1747 (texte dans *Œuvres complètes* de Racine, édition de R. Picard).

RENAN, Ernest, « De l'imitation de la Bible dans *Athalie* », *La Revue de Paris*, n° 15, 1ᵉʳ août 1922, pp. 452-463 (article datant de 1846, publié par J. POMMIER).

SÉVIGNÉ (Mme de), *Correspondance*, texte établi, présenté et annoté par Roger Duchêne, Paris, Gallimard, « Bibliothèque de la Pléiade », 1978, tome III.

SPITZER, Léo, *Études de style*, Paris, Gallimard, 1970.

WEINBERG, B., *Critical Prefaces of the French Renaissance*, New York, Ams Press, 1970.

Table

Table 190

Composition réalisée par NORD COMPO

———————————————————————————————————

IMPRIMÉ EN FRANCE PAR BRODARD ET TAUPIN
La Flèche (Sarthe).
LIBRAIRIE GÉNÉRALE FRANÇAISE - 43, quai de Grenelle - 75015 Paris
ISBN : 2 - 253 - 062286 - 6